Depoimento

O que estão dizendo sobre (In)distraível

"Se você dá valor a seu tempo, seu foco ou seus relacionamentos, não deixe de ler este livro. Já estou colocando em prática o que aprendi."

— **Jonathan Haidt, autor de** *The Righteous Mind*

"*(In)distraível* é a abordagem mais prática e realista que já vi para equilibrar a tecnologia e o bem-estar. Uma leitura obrigatória para qualquer pessoa que tenha um smartphone."

— **Mark Manson, autor de** *A Sutil Arte de Ligar o F*da-se*

"Neste livro você encontrará insights, histórias, pesquisas de vanguarda e as estratégias e práticas mais robustas para tornar-se uma pessoa indistraível."

— **Gretchen Rubin, autora de** *Projeto Felicidade*

"Em um mundo cercado de ruído, *(In)distraível* é o guia definitivo para obter o foco do qual você precisa para atingir resultados."

— **James Clear, autor de** *Hábitos Atômicos*

"Só consegue atingir o sucesso e a felicidade quem é capaz de controlar a atenção. Nir Eyal tem como missão nos proteger das distrações e este livro está repleto de dicas práticas para fazer isso."

— **Adam Grant, autor de** *Dar e Receber e Originais*

"No futuro, o mundo será dividido em dois tipos de pessoas: os que leram e aplicam os princípios de *(In)distraível* e os que se arrependem de não ter lido antes."

— **Kintan Brahmbhatt, diretor global de produtos da Amazon Music**

- (In)distraível

"Nos dias de hoje, é absolutamente indispensável ser indistraível. Deixe de ler este livro por sua própria conta e risco! Meu conselho é simples: Leia. Coloque em prática. Repita."

— **Greg McKeown, autor de *Essencialismo***

"Este é um livro importantíssimo. *(In)distraível* é o melhor guia que já li para retomar o controle da nossa atenção, do nosso foco e da nossa vida."

— **Arianna Huffington, fundadora e CEO da Thrive Global e fundadora do *The Huffington Post***

"Não consigo pensar em nada mais importante do que o foco nem em um professor melhor do que Nir Eyal. É simplesmente impossível ter sucesso neste século sem aprender a ser indistraível."

— **Shane Parrish, fundador da Farnam Street**

"Passei minha vida inteira procrastinando. Uma montanha de livros foi escrita com a proposta de ajudar os leitores a aumentar a produtividade, mas pouquíssimos são realmente úteis. Em *(In)distraível* você encontrará a exceção."

— **Tim Urban, autor de *WaitButWhy.com***

"Este livro fez mais para mudar minha visão de mundo do que qualquer coisa que li nos últimos anos. As dicas práticas de *(In)distraível* me ajudaram a reduzir nada menos que 90% do tempo que gasto diariamente com e-mails. "

— **Shane Snow, autor de *Smartcuts***

"*(In)distraível* nos coloca de volta ao lugar certo no que diz respeito às distrações: no controle da nossa própria vida."

— **Anya Kamenetz, autora de *The Art of Screen Time***

"*(In)distraível* o ajudará a aproveitar seu tempo ao máximo e encontrar a tranquilidade e a produtividade em meio a um tsunami de distrações."

— **Charlotte Blank, diretora de comportamento da *Maritz***

"Mergulhe de cabeça neste livro. *(In)distraível* é um guia fascinante e absolutamente eficaz para vencer as distrações. Quanto mais você se aprofundar neste livro, mais produtivo será."

— **Chris Bailey, autor de *Hiperfoco***

"Além de ser um livro repleto de dicas e informações, *(In)distraível* também é uma leitura agradabilíssima. Um guia valiosíssimo para qualquer pessoa que queira ser produtivo nos dias de hoje."

— **Richard M. Ryan, co-criador da teoria da autodeterminação**

"Nir Eyal conhece profundamente as tecnologias modernas que demandam nossa atenção e, neste livro prático e oportuno, revela os segredos para você poder recuperar e sustentar sua capacidade de concentrar-se no que realmente importa. Seu cérebro (sem mencionar seu cônjuge, seus filhos e seus amigos) vai agradecer por você ter lido este livro."

— **Oliver Burkeman, colunista do *The Guardian***

"Um livro indispensável para qualquer pessoa que queria pensar, trabalhar ou viver melhor."

— **Ryan Holiday, autor de *O Ego é seu Inimigo***

"*(In)distraível* não tem preço. Você simplesmente não pode se dar ao luxo de deixar de ler este livro."

— **Eric Barker, autor de *Barking Up the Wrong Tree***

- (In)distraível

"Ao seguir o modelo de quatro etapas apresentado por Eyal, com bases robustas em pesquisas científicas, você poderá assumir o controle da sua atenção e alavancar os incríveis benefícios da tecnologia moderna sem se dispersar ou se exaurir. *(In)distraível* é uma leitura obrigatória para qualquer pessoa em busca de realizar grandes conquistas na era digital."

— Taylor Pearson, autor de The End of Jobs

"*(In)distraível* me ajudou a perceber que a tecnologia não era a grande vilã que me levava a me distrair e não conseguir produzir. Mudei tudo o que faço no meu dia a dia e recomendo vivamente este livro. Todo mundo deveria ler *(In)distraível!*"

— Steve Kamb, fundador da Nerd Fitness e autor de Level Up Your Life

"*(In)distraível* ensina tudo o que você precisa saber sobre as causas da distração. Recomendo a leitura a qualquer pessoa em busca de focar-se mais no trabalho."

— Cal Newport, autor de Trabalho Focado

"Quando li *(In)distraível*, uma lâmpada se acendeu na minha cabeça. Eyal consegue resumir as descobertas científicas sem ignorar os detalhes e demonstra que valoriza o tempo dos leitores apresentando as informações mais relevantes, exemplos pertinentes e estratégias práticas."

— Jocelyn Brewer, fundadora da Digital Nutrition

"*(In)distraível* é o guia mais completo que já li sobre como ser mais focado. Este livro é uma dádiva para qualquer pessoa que queira ter mais tempo para viver uma vida melhor, mais gratificante e menos caótica."

— Dan Schawbel, autor de Back to Human

(In)distraível

Também de Nir Eyal

Hooked: Como construir produtos e serviços formadores de hábitos

(In)distraível

Como Dominar sua Atenção e Assumir o Controle da sua Vida

Nir Eyal
com Julie Li

Proteção de direitos

A identidade de algumas pessoas foi alterada neste livro. Algumas seções deste livro foram postadas no blog do autor, NirAndFar.com.

Título em português: Indistraível: Como dominar sua atenção e assumir o controle da sua vida. Copyright da tradução por ©AlfaCon Editora. Copyright ©Nir Eyal, 2019. Publicado pela primeira vez como Indistractable: how to control your attention and choose your life, pela Banbela Books. Todos os direitos reservados. Nenhuma parte deste livro pode ser utilizada ou reproduzida sob quaisquer meios existentes sem autorização por escrito dos editores.

Diretor Presidente
Evandro Guedes

Diretor da Editora / Operações e Gestão
Javert Falco

Diretor de Marketing / TI
Jadson Siqueira

Coordenação Editorial
Wilza Castro

Supervisão Editorial
Mariana Castro

Supervisão de Editoração
Alexandre Rossa

Analista de Conteúdo
Mateus Ruhmke Vazzoller

Assistente Editorial
Tatiane Zmorzenski

Consultor Editorial
Fábio Oliveira

Tradução
Cristina Yamagami

Revisão Ortográfica
Suzana Ceccato

Capa
Nara Azevedo

Projeto Gráfico e Editoração Eletrônica
Nara Azevedo

Finalização
Alexandre Rossa

E97ind

EYAL, Nir. Indistraível: Como dominar sua atenção e assumir o controle da sua vida / Nir Eyal com Julie Li; tradução Cristina Yamagami. 1.ed. Editora AlfaCon: Cascavel/PR, 2019.

288 p. 16 x 23 cm

ISBN: 978-85-8339-490-7

Indistraível. Atenção. Distração (Psicologia). Psicologia Comportamental. Desenvolvimento de Hábitos. Organização de Tempo. AlfaCon.

CDU: 159.92

 Dúvidas?
Acesse: www.alfaconcursos.com.br/atendimento
Núcleo Editorial:
Rua: Paraná, nº 3193, Centro - Cascavel/PR
CEP: 85.810-010

Núcleo Comercial/Centro de Distribuição:
Rua: Dias Leme, nº 489, Mooca - São Paulo/SP
CEP: 03118-040

 SAC: (45) 3037-8888

Para Jasmine

O **AlfaCon Notes** é a ferramenta perfeita para registrar suas **anotações de leitura**, mantendo tudo **organizado e acessível** em seu smartphone. Deixe **sua leitura mais prática** e armazene tudo que puder!

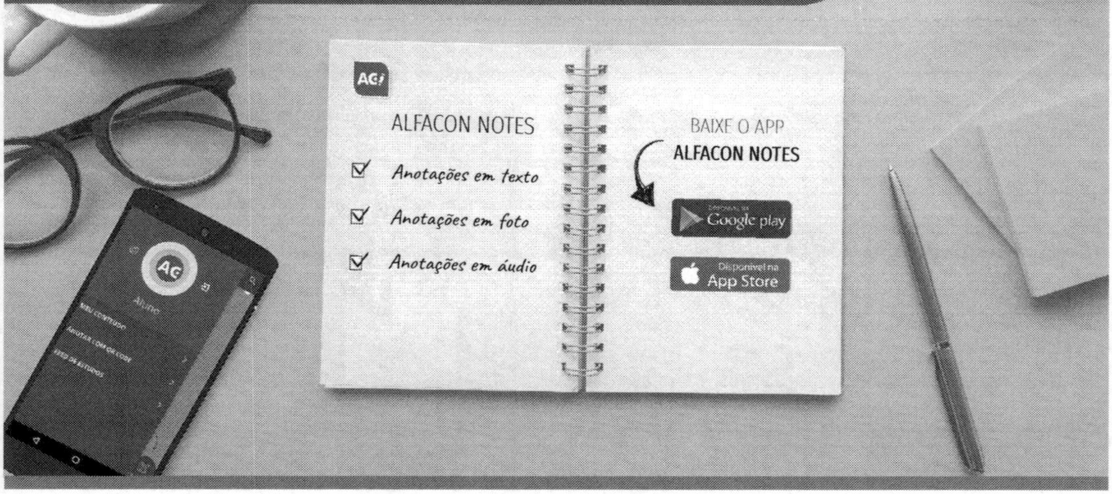

Passo 01:

 Instale o **Aplicativo AlfaCon Notes** em seu smartphone.

Passo 02:

 Faça o cadastro na plataforma **AlfaCon** ou entre com seu Facebook.

Passo 03:

 Você terá acesso ao seu Feed de estudos, no qual poderá encontrar todas as suas anotações.

App AlfaCon Notes
Para criar uma nova anotação, clique no ícone localizado no canto inferior direito da tela.

Passo 04:

 Cada tópico de seu livro contém **um Código QR** ao lado.

App AlfaCon Notes
Escolha o tópico e faça a leitura do Código QR utilizando o aplicativo AlfaCon Notes para registrar sua anotação.

Passo 05:

 Pronto! Agora você poderá escolher o formato de suas anotações:

Texto:
Basta clicar no campo **"Escreva sua anotação"** e digitar seu comentário, **relacionado ao conteúdo** escolhido.

Áudio:
Clique no ícone **"microfone"**, na lateral inferior direita, mantenha o ícone pressionado enquanto grava suas considerações de voz sobre o tópico que está lendo.

Foto:

1) Clique no ícone, na lateral **inferior esquerda**.
2) **Fotografe** as anotações realizadas durante sua leitura.
3) Envie no ícone na lateral **inferior direita**.

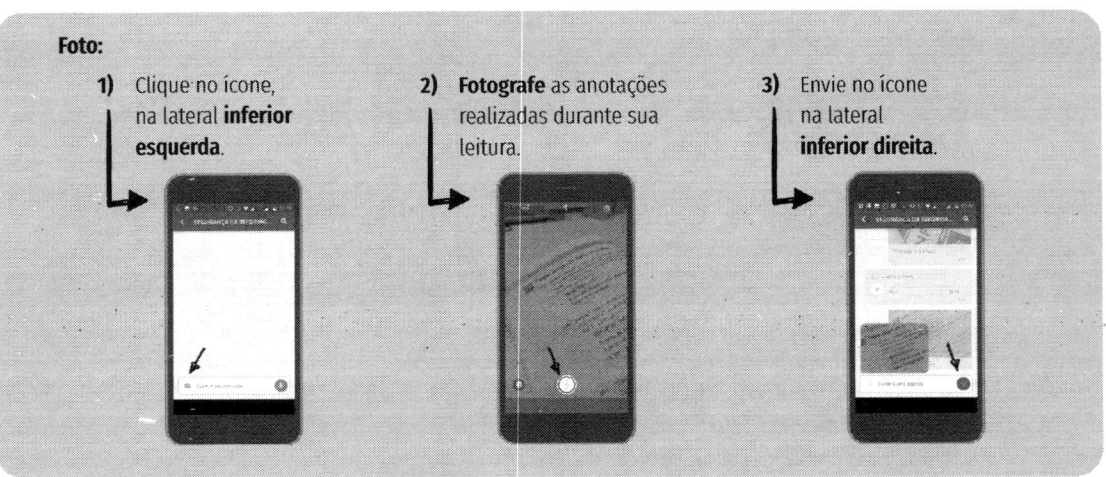

» Agora você tem suas **anotações organizadas** e sempre à mão. Elas ficarão **disponíveis** em seu smartphone.

» Pronto para essa **nova experiência?** Então, baixe o app **AlfaCon Notes** e crie suas anotações, anotou? ;)

Mais que um livro. É uma experiência!

Uma Observação Importante

Antes de começar a ler, não deixe de baixar os materiais complementares no meu site. Você poderá encontrar recursos adicionais gratuitos, downloads e as mais recentes atualizações no site:

NirAndFar.com/Indistractable

Também é importante usar o livro de atividades, contendo exercícios relevantes a cada capítulo para ajudá-lo a aplicar o que aprendeu na sua vida.

Gostaria de aproveitar para dizer que não tenho qualquer interesse financeiro nas empresas mencionadas neste livro, a menos que isso seja especificamente indicado, e minhas recomendações não são influenciadas por qualquer anunciante.

Se você quiser entrar em contato comigo, não deixe de me escrever, por meio do meu blog: NirAndFar.com/Contact.

SUMÁRIO

Introdução: De *Hooked* (Engajado) a (In)distraível 19

Capítulo 1: Qual é o seu Superpoder? 23
Capítulo 2: Seja Indistraível 29

PARTE 1: DOMINE OS SEUS GATILHOS INTERNOS

Capítulo 3: O que Realmente nos Motiva? 37
Capítulo 4: Administrar o Tempo na Verdade é Administrar a Dor 45
Capítulo 5: Lide com as Distrações de Dentro para Fora 51
Capítulo 6: Reimagine o Gatilho Interno 55
Capítulo 7: Reimagine a Tarefa 60
Capítulo 8: Reimagine o seu Temperamento 65

PARTE 2: ARRANJE UM TEMPO PARA A TRAÇÃO

Capítulo 9: Traduza os seus Valores em Tempo 73
Capítulo 10: Controle o que Entra, não o que Sai 80
Capítulo 11: Inclua os Relacionamentos Importantes na sua Agenda 85
Capítulo 12: Alinhe a sua Agenda com os Interesses Profissionais das Pessoas no Trabalho 93

PARTE 3: DEFENDA-SE DO *HACKING* DOS SEUS GATILHOS EXTERNOS

Capítulo 13: Faça a Pergunta Crucial 101
Capítulo 14: Defenda-se do *Hacking* das Interrupções no Trabalho 107
Capítulo 15: Defenda-se do *Hacking* dos E-mails 113
Capítulo 16: Defenda-se do *Hacking* dos Grupos de Mensagens 122

Capítulo 17: Defenda-se do *Hacking* das Reuniões.................................. 126
Capítulo 18: Defenda-se do *Hacking* do deu Smartphone 130
Capítulo 19: Defenda-se do *Hacking* do seu Computador 138
Capítulo 20: Defenda-se do *Hacking* das Abas Abertas do seu Navegador de Internet.. 143
Capítulo 21: Defenda-se do *Hacking* dos *Feeds* de Notícias 149

PARTE 4: FAÇA PACTOS PARA EVITAR AS DISTRAÇÕES

Capítulo 22: O Poder dos Pré-compromissos 155
Capítulo 23: Evite as Distrações Fazendo Pactos de Esforço 159
Capítulo 24: Evite as Distrações Fazendo Pactos de Preço..................... 164
Capítulo 25: Evite as Distrações Fazendo Pactos de Identidade 171

PARTE 5: TRANSFORME O SEU TRABALHO EM UM LUGAR INDISTRAÍVEL

Capítulo 26: A Distração é um Sinal de Disfunção 179
Capítulo 27: As melhores Culturas de Trabalho Combatem a Distração 185
Capítulo 28: O Local de Trabalho Indistraível 192

PARTE 6: CRIE FILHOS INDISTRAÍVEIS (E POR QUE TODOS NÓS PRECISAMOS DE NUTRIENTES PSICOLÓGICOS)

Capítulo 29: Evite dar Desculpas Convenientes....................................... 199
Capítulo 30: Conheça os Gatilhos Internos dos seus Filhos 205
Capítulo 31: Arranje com os seus Filhos um Tempo para a Tração.......... 214
Capítulo 32: Ajude os seus Filhos a Lidar com os Gatilhos Externos 221
Capítulo 33: Ensine os seus Filhos a Fazer os Próprios Pactos................. 226

PARTE 7: TENHA RELACIONAMENTOS INDISTRAÍVEIS

Capítulo 34: Espalhe Anticorpos Sociais entre os seus Amigos................231

Capítulo 35: Seja um Amante Indistraível 236

Principais Lições dos Capítulos 242

Modelo de Agenda 247

Tabela de Monitoramento de Distrações 248

Agradecimentos 249

Colaboradores 252

Notas 260

Guia de Discussão para o seu Clube do Livro (In)distraível 285

Sobre os Autores 288

PREFÁCIO

Nunca estive com Nir Eyal ao vivo. Mas percebi, no contato virtual (ele me mandou uma DM no Twitter), um rapaz obcecado e cuidadoso com as palavras. Seguimo-nos há algum tempo nas redes sociais. Na ocasião do lançamento nos EUA, gentilmente, ele me enviou uma cópia do livro novo dele, *Indistractable*. Antes de falar desta obra, lembro a quem não o conhece, que Nir é o celebrado autor de *Hooked*, o best-seller que encantou o Vale do Silício. Com uma linguagem simples e precisa, o autor contou segredos de como se relacionar e engajar o público na era digital. Ou seja, o que todo mundo está louco para saber. Dos veículos de comunicação à indústria farmacêutica; do grande varejo à manicure da esquina, estamos todos necessitados em reaprender e praticar o relacionamento com o cliente. Em *Hooked*, ele confidenciou o modo de como ficar grudado nas plataformas digitais. Agora, com *Indistractable*, Nir trilha o caminho inverso. Compartilha aprendizados para compensar o "estrago" causado pela contaminação que nossas vidas sofreram com a mediação dos algoritmos e redes sociais. O feiticeiro entrega o antídoto contra o feitiço. Nir aponta caminhos possíveis e as virtudes da desconexão. É uma prática preciosa. Vivo imerso nas redes há mais de 10 anos. Hoje, com cerca de 13 milhões de seguidores, busco encontrar, ainda sem muita disciplina, dietas que poderiam ser batizadas de "detox digital". Vez ou outra, como no início de 2019, consegui mergulhar por 15 dias em um retiro de meditação na Índia, sem telefone, TV ou noticiário. Desliguei o barulho externo para entrar em contato com os ruídos internos. Encontrei novas conexões, com a natureza, com novas pessoas e, principalmente, comigo mesmo. Fui praticar o que Nir chama no novo livro de "destracionar", tirar a tração do que não vale a pena. Trata-se de um aprendizado importante. A palavra tração, o fluxo que nos move, está dentro da palavra distração, aquilo que bagunça o fluxo. Este é o ponto central e valioso de *Indistractable*: viver a vida que queremos não é só fazer as coisas certas; mas, principalmente, é deixar de fazer as erradas - as que tiram a tração do movimento em direção ao que importa.

Marcelo Tas, Jornalista e Apresentador de TV

Introdução

De *Hooked (Engajado)* a *(In)distraível*

Se você adentrar nas principais empresas de tecnologia, verá um livro de capa amarela nas prateleiras da maioria delas. Eu o vi no Facebook, Google, PayPal e Slack. Ele é distribuído em conferências de tecnologia e eventos de treinamento das empresas. Um amigo que trabalhou na Microsoft me contou que o CEO, Satya Nadella, levou um exemplar à empresa e o recomendou a todos os funcionários.

O livro, *Hooked*: ("Engajado: como criar produtos e serviços formadores de hábitos"), foi um best-seller do *Wall Street Journal* e, no momento da escrita deste livro, continua em primeiro lugar na categoria "Produtos" da Amazon.[1] Pode-se dizer que *Hooked* é uma espécie de "livro de receitas". O livro contém uma receita para capitalizar o comportamento humano ou, em outras palavras, alavancar o comportamento de cada um de nós. As melhores empresas de tecnologia sabem que, para ganhar dinheiro, elas precisam nos convencer a continuar voltando, e o modelo de negócios delas depende disso.

Sei disso porque passei a última década pesquisando os fatores psicológicos por trás do sucesso de algumas das melhores empresas do mundo e que lhes possibilitam criar produtos de grande apelo ao público. Passei anos ensinando futuros executivos na Faculdade de

Pós-graduação em Administração da Stanford e no Instituto de Design Hasso Plattner da Stanford.

Escrevi *Hooked* na esperança de que startups e empresas com interesses sociais usassem esse conhecimento para criar novas maneiras de ajudar as pessoas a ter hábitos melhores. Por que os gigantes da tecnologia não podiam compartilhar esses segredos? Não seria bom se pudéssemos usar os mesmos conhecimentos que fazem com que os videogames e as mídias sociais sejam tão atraentes para criar produtos voltados a ajudar as pessoas a viver melhor?

Desde a publicação de *Hooked*, milhares de empresas usaram o livro para ajudar os usuários a desenvolver bons hábitos. O Fitbod é um aplicativo fitness que ajuda as pessoas a manter uma rotina de exercícios. A Byte Foods se propõe melhorar a alimentação das pessoas oferecendo máquinas de venda automática inteligentes conectadas à internet abastecidas com bebidas e alimentos frescos preparados na região. O Kahoot! é um aplicativo para fazer quizzes divertidos e interessantes voltados a ajudar qualquer pessoa a aprender.[1*]

Queremos produtos amigáveis, fáceis de usar e que também nos ajudem a formar bons hábitos. Produtos com um apelo maior, capazes de "fisgar" a atenção dos usuários, não são necessariamente um problema. Pelo contrário, eles representam um progresso.

Mas eles também podem ter seu lado negativo. Como escreveu o filósofo Paul Virilio: "Quando alguém inventa o navio, também inventa o naufrágio".[2] No caso de produtos e serviços amigáveis, as mesmas coisas que fazem com que eles sejam interessantes e fáceis de usar também podem fazer com que eles sejam uma distração.

Para muitas pessoas, essas distrações podem sair do controle, dando a elas a sensação de impotência, como se acreditassem que não têm

---

[1*] Eu gostei tanto do jeito como a Kahoot! e a Byte Foods usaram o meu livro que decidi investir nas duas empresas.

como tomar as próprias decisões. A verdade é que, nos dias de hoje, se você não souber administrar as distrações, acabará perdendo o foco e vendo seu tempo se esvair pelo ralo.

Nas próximas páginas, falarei sobre as minhas dificuldades com a distração e como, ironicamente, eu me deixei fisgar. Mas também contarei como superei as dificuldades e explicarei por que temos muito mais poder do que qualquer gigante da tecnologia. Por ter trabalhado no setor, eu sei onde fica o calcanhar de Aquiles deles e em breve você também saberá.

A vantagem é que todos nós somos capazes de nos adaptar a essas ameaças. Podemos começar agora mesmo a tomar medidas para reeducar e retomar o controle do nosso cérebro. Falando sério, você acha mesmo que temos alguma outra opção? Não temos tempo para esperar os políticos criarem leis para nos proteger e, se você acha mesmo que um dia as empresas vão eliminar o elemento da distração de seus produtos, pode esperar sentado.

No futuro, o mundo será dividido em dois tipos de pessoas: as que deixam nas mãos de outros o controle de sua atenção e de sua vida e as que poderão bater no peito e se declarar "indistraíveis". Ao abrir este livro, você já deu o primeiro passo para retomar o controle do seu tempo e do seu futuro.

Mas esse é só o começo. Você passou anos sendo condicionado a esperar uma gratificação imediata. Pense em chegar à última página deste livro como um desafio pessoal para livrar sua mente das garras da distração.

O antídoto para a impulsividade é o planejamento. Se você se planejar, vai conseguir chegar ao seu destino. Com as técnicas apresentadas neste livro, você aprenderá exatamente o que fazer a partir de hoje para dominar sua atenção e assumir o controle da sua vida.

Capítulo 1

Qual é o seu Superpoder?

Eu adoro comer doces, fuçar nas mídias sociais e ver TV. Só que, apesar de todo o amor que dedico a essas coisas, elas parecem que não me amam tanto. Comer um pudim inteiro de sobremesa depois do jantar, passar tempo demais vendo os posts nos *feeds* de notícias ou assistindo compulsivamente a uma série na Netflix até as 2 da manhã são coisas que, no passado, eu fazia sem pensar, só pela força do hábito.

Todo mundo sabe que só comer *junk food* não faz bem à saúde, mas nem todo mundo lembra que o uso excessivo de dispositivos também pode ter consequências negativas. No meu caso, acabei priorizando as distrações e deixando as pessoas mais importantes da minha vida em segundo plano. O pior de tudo foi o jeito como eu deixei as distrações prejudicarem meu relacionamento com a minha filha. Ela é nossa única filha e, para minha esposa e eu, a criança mais incrível do mundo.

Certo dia, nós dois estávamos brincando com um livro de atividades feito para aproximar pais e filhas. A primeira atividade envolvia dizer as coisas que o outro mais gostava de fazer. O próximo projeto era construir um aviãozinho de papel usando uma das páginas do livro. A terceira atividade era uma pergunta para nós dois respondermos: "Se você pudesse escolher um superpoder, qual você escolheria?" Eu gostaria muito de poder contar o que minha filha respondeu, mas não tenho como. Eu não faço ideia da resposta dela porque eu não estava realmente lá. Meu corpo estava lá, mas minha mente estava em outro lugar. Só a ouvi perguntando: "Papai, e qual seria o seu superpoder?"

"Hein?", eu murmurei. "Só um pouquinho. Só vou responder a esta mensagem." Eu a ignorei para olhar o celular. Meus olhos ainda estavam grudados na tela, os dedos batendo freneticamente em algo que parecia importantíssimo na ocasião, mas que definitivamente não era nada urgente. Ela esperou em silêncio. Quando finalmente tirei os olhos do celular, ela não estava mais na sala.

Não me orgulho de dizer que pisei feio na bola, destruindo um momento mágico com a minha filha só porque algo no meu celular me chamou a atenção. O evento, por si só, não foi grande coisa. Todavia, se eu dissesse que algo parecido nunca tinha acontecido antes, eu estaria mentindo. A mesma cena já tinha se repetido inúmeras vezes antes.

Eu não fui o único a priorizar as distrações às pessoas. Um dos primeiros leitores deste livro me contou que, quando perguntou à sua filha de 8 anos qual seria seu superpoder, ela respondeu que queria poder falar com animais. Quando ele quis saber por que, a menina disse: "Para eu poder conversar com alguém quando você e a mamãe estiverem ocupados trabalhando no computador".

Depois de encontrar a minha filha e pedir desculpas, decidi que já tinha passado da hora de fazer algumas grandes mudanças na minha vida. No começo, confesso que fui radical. Pus na minha cabeça que a culpa toda era da tecnologia e tentei mergulhar de cabeça em um "detox digital". Comecei a usar um celular antigo, do tipo flip, para não cair na tentação de checar o e-mail, o Instagram e o Twitter. Mas achei difícil demais dirigir sem o GPS e sem acesso aos endereços salvos na minha agenda eletrônica. Senti muita falta de ouvir audiobooks nas minhas caminhadas e de outras praticidades proporcionadas pelo meu smartphone.

Para não perder tempo lendo uma montanha de artigos na internet, assinei um jornal impresso. Algumas semanas depois, a pilha de jornais não lidos só crescia ao lado do sofá onde eu via o noticiário na TV.

Na tentativa de manter o foco ao escrever, comprei um processador de texto dos anos 1990 sem conexão com a internet. Todavia, sempre que me sentava para escrever, acabava olhando para a estante de livros e não demorava muito para me pegar folheando livros que não tinham nada a ver com o trabalho. De um jeito ou de outro, eu dava um jeito de me manter distraído, mesmo sem a tecnologia que eu culpava pelo problema.

Não adiantou me privar da tecnologia e da conexão com a internet. Eu só mudei as distrações.

Descobri que, para viver a vida que queremos, precisamos não só fazer as coisas *certas*, mas também parar de fazer as coisas *erradas* que nos desviam do caminho. Todo mundo sabe que comer salada é melhor para a saúde do que se entupir de bolo. Sabemos que navegar sem rumo nos nossos *feeds* das mídias sociais não é tão gratificante quanto conviver com amigos reais na vida real. Sabemos que, se quisermos ser mais produtivos no trabalho, precisamos parar de desperdiçar tempo, arregaçar as mangas e botar as mãos na massa. Nós já sabemos o que fazer. O que não sabemos é como parar de nos distrair.

Nos cinco anos que passei pesquisando e escrevendo este livro e aplicando os métodos confirmados por estudos científicos que você aprenderá em breve, fiquei mais produtivo, física e mentalmente mais forte, mais disposto e com relacionamentos mais gratificantes do que nunca. Este livro revela o que aprendi ao desenvolver a habilidade mais importante do século 21. É a história de como me tornei uma pessoa indistraível e como você também pode fazer isso.

O primeiro passo é reconhecer que as distrações começam dentro de nós. Na Parte 1, você aprenderá maneiras práticas de identificar e administrar o desconforto psicológico que nos desvia do caminho. Mas eu evito recomendar técnicas já mais conhecidas, como *mindfulness* e meditação. Sei que esses métodos podem funcionar para algumas pessoas, mas muitos livros já foram escritos sobre eles. Se você está lendo este livro, imagino que já tenha tentado essas técnicas e, como eu, descobriu que elas não deram conta do recado para você. Por isso, preferi apresentar uma nova perspectiva sobre o que realmente motiva o nosso comportamento e por que a administração do tempo no fundo equivale a administrar a dor. Também veremos como fazer com que qualquer tarefa seja agradável, não ao estilo da Mary Poppins, que diz que "com um pouco de açúcar até remédio é um prazer"[2*], mas cultivando a capacidade de nos focar intensamente no que fazemos.

Na Parte 2, veremos a importância de abrir um tempo na sua agenda para as coisas que você realmente quer fazer. Você vai ver que só tem como identificar uma "distração" se souber *do que* você está se distraindo. Você aprenderá a planejar seu tempo com propósito, mesmo se escolher passar o tempo vendo notícias de celebridades ou lendo um romance erótico qualquer. Afinal, o tempo que você *planeja* desperdiçar não é um desperdício de tempo.[1]

Na Parte 3, apresentarei uma análise fria e meticulosa dos gatilhos externos indesejados que reduzem a nossa produtividade e prejudicam o nosso bem-estar. Embora as empresas de tecnologia gostem de mandar notificações constantes ao nosso celular para "hackear" nosso comportamento, os gatilhos externos não se restringem aos nossos dispositivos digitais. Eles estão por toda a parte, desde aquela caixa de bombons nos chamando quando abrimos o armário da cozinha até um colega tagarela que nos impede de concluir um projeto urgente a tempo.

[2*] Nota da tradução: No filme da Disney, Mary Poppins canta, em tradução livre: "Todo trabalho que se faz / Pode se tornar uma distração / Mas você descobre / Que pode ser uma diversão / E assim a sua obrigação / Se torna um prazer / Daí eu digo que / Com um pouco de açúcar / Até remédio é um prazer!".

Na Parte 4, você aprenderá a última técnica para tornar-se uma pessoa indistraível: os pactos. Eliminar os gatilhos externos pode nos ajudar a impedir a entrada das distrações, mas os pactos nos permitem o autocontrole e garantem que realmente faremos o que nos propomos a fazer. A ideia é aplicar a antiga técnica do pré-compromisso aos nossos problemas atuais.

Por fim, daremos atenção especial em como transformar o seu trabalho em um local indistraível, como criar filhos indistraíveis e como cultivar relacionamentos indistraíveis. Esses capítulos finais mostrarão como recuperar a produtividade perdida no trabalho, como ter relacionamentos mais gratificantes com seus amigos e família e até como ser um amante melhor... tudo isso ao vencer as distrações.

Você pode ler as quatro etapas para se tornar indistraível na ordem que quiser, mas recomendo segui-las na sequência. As quatro etapas se baseiam uma na outra, sendo que a primeira forma as bases para todas as outras.

Se você for do tipo que gosta de aprender com exemplos e prefere ver as táticas em prática primeirameiramente, pode ler a Parte 5 em diante e depois voltar para as quatro primeiras partes para ver as explicações. Além disso, não se sinta pressionado para aplicar todas as técnicas imediatamente. Algumas podem não ser relevantes à sua situação e só serão úteis no futuro, quando você estiver pronto ou suas circunstâncias mudarem. Mas eu prometo que, quando você terminar este livro, estará munido de várias técnicas que mudarão para sempre a maneira como você administra as distrações.

Imagine como seria incrível poder ir até o fim em tudo o que você decidir fazer. Imagine como você será mais produtivo no trabalho. Imagine quanto tempo mais você terá para passar com a família ou fazer as coisas que mais gosta de fazer. Imagine como você seria mais feliz do que é hoje.

Como seria a sua vida se o seu superpoder fosse ser indistraível?

> **LEMBRE-SE DISSO**
>
> - **Precisamos aprender a evitar as distrações.** Viver a vida que desejamos não só requer fazer as coisas certas, mas também requer *não* fazer as coisas das quais nos arrependeremos depois.
>
> - **O problema e mais grave do que apenas a tecnologia.** Ser indistraível não requer virar um eremita enfiado em uma caverna. A solução é identificar as verdadeiras razões que nos levam a fazer coisas que não resultam em uma vida melhor.
>
> - **Eis o que você precisa fazer:** você poderá se transformar em uma pessoa indistraível aprendendo e aplicando as quatro estratégias que apresentarei em seguida.

Capítulo 2

Seja Indistraível

Os gregos antigos imortalizaram a história de um homem que vivia eternamente distraído. Ele sofreu tanto com isso que seu nome chegou a dar origem ao verbo "tantalizar", no sentido de submeter alguém a um suplício. No mito grego, Tântalo foi banido ao submundo por seu pai, Zeus, como um castigo.[1] Lá, ele se viu em um vale abundante em frutas maduras e água potável. A princípio, o castigo não pareceu tão severo, mas, sempre que Tântalo tentava colher uma fruta, o ramo se afastava de seu alcance. Quando ele se abaixava para beber a água fresca, a água recuava e ele nunca conseguia matar a sede. O castigo de Tântalo era ansiar por coisas que ele desejava, mas nunca conseguia alcançar.

Precisamos tirar o chapéu para os gregos antigos pelas alegorias que eles conseguiam inventar. Seria difícil pensar em uma representação melhor da condição humana. Passamos a vida inteira tentando alcançar algo: mais dinheiro, mais experiências, mais conhecimento, mais status, mais *coisas*. Os gregos antigos acreditavam que essa condição era uma parte natural da maldição de ser um mortal falível e usaram a história para retratar o poder dos nossos desejos incessantes sobre nós.

*Tantalu's curse - A maldição de Tântalo: passar uma eternidade tentando alcançar algo.*²

TRAÇÃO E DISTRAÇÃO

Imagine uma linha representando o valor de tudo o que você faz no decorrer do dia. À direita, as ações são positivas; à esquerda, são negativas.

Do lado direito da escala está a *tração*, que vem do latim *tractĭo*, que significa "atrair ou puxar". Podemos pensar na tração como as ações que nos puxam na direção do que queremos da vida. Do lado esquerdo está a *distração*, o oposto da tração. Com origens na mesma raiz latina, a palavra *distração* significa "o afastamento da mente".³ As distrações nos impedem de avançar em direção à vida que desejamos. Todos os comportamentos, não importa se tenderem à tração ou à distração, são motivados por gatilhos, internos ou externos.

Os gatilhos internos atuam dentro de nós. Quando nossa barriga ronca, procuramos algo para comer. Quando estamos com frio, procuramos um casaco para nos aquecer. E, quando estamos tristes, solitários ou estressados, podemos procurar a ajuda de um amigo.

Os gatilhos externos, por outro lado, são "deixas" ao nosso redor que nos dizem o que fazer, como as notificações que nos levam a checar o e-mail, abrir um aplicativo de rede social ou atender uma ligação. Os gatilhos externos também podem ser outras pessoas, como um colega que para na nossa mesa para conversar no trabalho. E também podem ser objetos, como um televisor cuja mera presença nos incita a ligá-lo.

Seja motivada por gatilhos internos ou externos, a ação resultante será alinhada (tração) ou desalinhada (distração) com as nossas intenções e propósitos na vida. A tração nos ajuda a atingir nossas metas e a distração nos distancia delas.

O desafio, é claro, é que o nosso mundo está cheio de coisas feitas para nos distrair. Hoje em dia, as pessoas vivem grudadas no celular, mas os dispositivos móveis não passam do mais recente obstáculo potencial. As pessoas já reclamavam do poder da televisão de derreter nosso cérebro desde o advento dessa tecnologia.[4] Antes disso, os grandes vilões foram o telefone, as revistas em quadrinhos e o rádio. Até a palavra escrita foi acusada de levar ao "esquecimento na alma dos aprendizes", segundo Sócrates.[5] Algumas dessas coisas podem parecer sem graça em comparação com as tentações dos dias de hoje, mas as distrações sempre estiveram e sempre estarão presentes na nossa vida.

Na atualidade, as distrações parecem diferentes. O volume de informações disponíveis, a velocidade com que elas podem se espalhar e a facilidade do acesso a novos conteúdos nos nossos dispositivos criaram um verdadeiro playground de distrações. Se você estiver em busca de uma distração, nunca foi mais fácil encontrar uma.

E qual é o custo de toda essa distração? Em 1971, o psicólogo Herbert A. Simon já previa: "A abundância de informações leva à escassez de alguma outra coisa... uma pobreza de atenção".[6] Segundo pesquisadores, atenção e foco são as matérias-primas da criatividade e da prosperidade do ser humano.[7] Nesta era do aumento da automação, os empregos de maior demanda são aqueles que requerem a resolução criativa de problemas, soluções inovadoras e o tipo de inventividade humana resultante de um foco profundo nas tarefas.

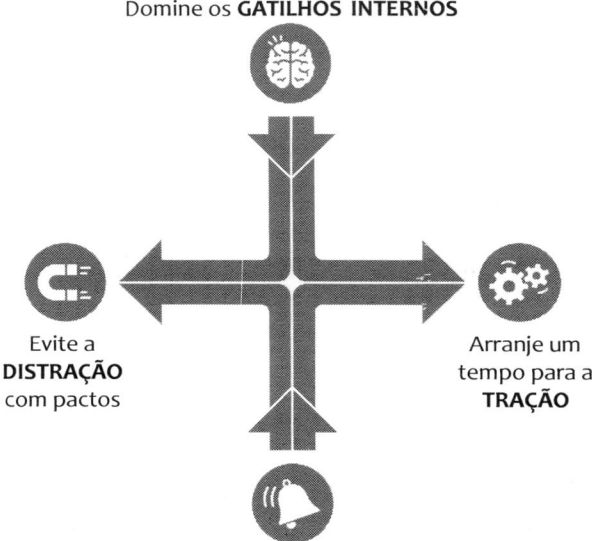

No âmbito social, as amizades constituem as bases da nossa saúde física e psicológica. A solidão, segundo pesquisadores, é mais perigosa que a obesidade.[8] Porém, o problema é que não temos como cultivar amizades se vivemos distraídos.

Pense nos seus filhos. Como eles poderão ter sucesso e felicidade na vida se não conseguirem se concentrar por tempo suficiente para se dedicar a alguma tarefa? Que exemplo você está dando se todos os seus olhares e sorrisos são voltados aos seus dispositivos?

Vamos voltar ao mito de Tântalo. Qual foi exatamente sua maldição? Foi passar a eternidade com fome e sede? Na verdade, não. O que aconteceria se Tântalo simplesmente parasse de tentar alcançar a comida e a água? Afinal, ele já estava no inferno e os mortos não *precisam* de comida e água, pelo menos era assim da última vez que chequei.

A maldição de Tântalo não era passar toda a eternidade tentando alcançar coisas que estavam fora de seu alcance, mas sim o fato de ele nunca se dar conta da insensatez de suas ações. A maldição de Tântalo era sua cegueira para o fato de que ele simplesmente não precisava das coisas que queria tanto alcançar. Essa é a verdadeira moral da história.

A maldição de Tântalo também é a nossa maldição. Somos compelidos a viver buscando coisas que achamos que precisamos, mas que na verdade não precisamos. Não *precisamos* checar nosso e-mail neste exato momento nem *precisamos* ver as últimas notícias, mesmo se acreditarmos que precisamos.

Por sorte, ao contrário de Tântalo, temos a capacidade de nos afastar dos nossos impulsos, reconhecê-los pelo que realmente são e fazer algo a respeito. Queremos que as empresas inovem e satisfaçam as nossas necessidades, mas precisamos nos perguntar se produtos melhores de fato nos ajudarão a atingir todo o nosso potencial. As distrações sempre existirão, mas cabe a nós administrá-las.

Ser indistraível implica empenhar-se para fazer o que você se propõe a fazer.

As pessoas indistraíveis são tão respeitosas consigo mesmas quanto com os outros. Se você se interessa pelo seu trabalho, sua família e seu bem-estar físico e mental, precisa aprender a se tornar indistraível. O Modelo Indistraível de quatro etapas é uma ferramenta para ver o mundo e interagir com ele de um jeito completamente diferente. Ele será seu mapa para controlar sua atenção e escolher a vida que você quer viver.

> ### ⚑ LEMBRE-SE DISSO
>
> - **As distrações o impedem de atingir seus objetivos.** Uma distração é qualquer ação que o afasta do que você realmente quer.
> - **A tração o ajuda a atingir seus objetivos.** A tração é qualquer ação que o aproxima do que você realmente quer.
> - **Os gatilhos podem acionar a tração ou a distração.** Os gatilhos externos são "deixas" *ao seu redor* que o incitam à ação. Os gatilhos internos são "deixas" *dentro de você* que o incitam a ação.

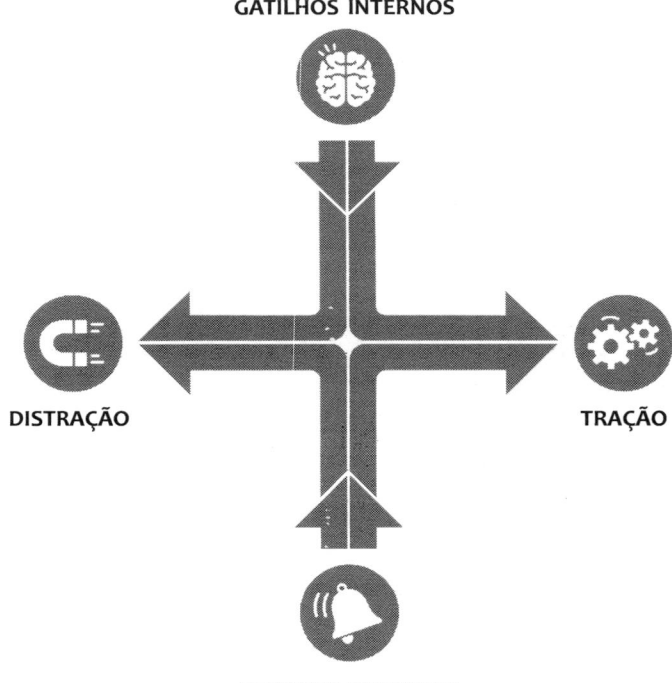

Essas quatro etapas serão o seu guia para se tornar uma pessoa indistraível.

Parte 1

Domine os seus Gatilhos Internos

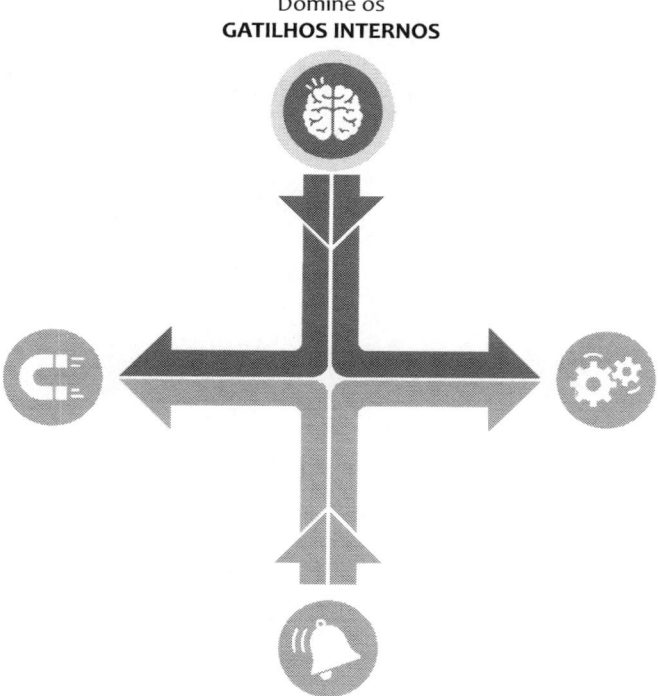

Capítulo 3

O que Realmente nos Motiva?

Zoë Chance, uma professora da Faculdade de Administração da Yale, com doutorado pela Harvard, fez uma revelação chocante a uma plateia lotada do TEDx: "Vou abrir o jogo para vocês hoje e contar esta história pela primeira vez, com todos os detalhes sórdidos. Em março de 2012... eu comprei um dispositivo que destruiu a minha vida aos poucos".[1]

Na Yale, Chance ensinava a futuros executivos os segredos de como mudar o comportamento dos consumidores. Apesar do nome do curso, "Dominando a influência e a persuasão", Chance confessou que ela mesma estava bem longe de ser imune à manipulação. O que começou como um projeto de pesquisa acabou se transformando em uma compulsão irracional.

Chance encontrou por acaso um produto que exemplificava muitas das técnicas de persuasão que ela ensinava em seu curso. Ela me contou: "A gente disse: 'Isso é genial! Esses caras são brilhantes! Eles conseguiram usar todas as ferramentas motivacionais possíveis em um único produto!'".[2]

Chance achou que seria interessante testar o produto e se apresentou para ser a primeira cobaia de seu experimento de pesquisa. Mal sabia ela que sua mente e seu corpo acabariam sendo completamente manipulados pelo produto. "Eu simplesmente não conseguia parar e levei um bom tempo até perceber que aquilo estava sendo um problema", ela diz agora.

É fácil entender por que Chance passou tanto tempo em negação. O produto do qual ela ficou dependente não era um medicamento controlado nem uma droga viciante, como heroína ou crack. Era um pedômetro. Mais especificamente, era o Striiv Smart Pedometer, desenvolvido por uma startup do Vale do Silício fundada um ano antes. Chance faz questão de dizer que o Striiv não é um pedômetro qualquer. "Eles alardeiam o produto como 'um personal trainer no seu bolso'", ela explica. "Nada disso! Está mais para o satanás no seu bolso!"

A Striiv, uma empresa fundada por ex-designers de videogames, usa táticas de design comportamental para compelir os usuários a serem fisicamente mais ativos. Os usuários do pedômetro recebem desafios à medida que acumulam pontos por caminhar. Eles podem competir com outros usuários e checar seu ranking em relação aos outros, como se fosse um campeonato. A empresa também atrela o contador de passos a um aplicativo chamado MyLand, no qual os jogadores podem usar os pontos para construir mundos virtuais on-line.

Chance ficou absolutamente encantada com as essas funcionalidades do Striiv. Tanto que não tardou para ela se pegar andando sem parar para acumular passos e pontos. "Eu voltava para casa e, enquanto comia ou lia, ou enquanto comia e lia ao mesmo tempo, ou enquanto meu marido tentava conversar comigo, eu ficava percorrendo um circuito entre a sala, a cozinha e a sala de jantar e voltando da sala de jantar, passando pela cozinha e até a sala."

O problema é que essa andança toda, em grande parte em círculos, começou a sair caro. Ela passou a ter menos tempo para a família e os amigos. "Eu só estava me aproximando de uma pessoa na época", ela admite. "Era meu colega Ernest, que também usava o Striiv. A gente combinava desafios juntos e competia um com o outro."

Chance estava obcecada. "Eu estava fazendo planilhas para otimizar e monitorar, não a minha atividade física, mas as minhas transações virtuais em um mundo virtual que só existia em um dispositivo da Striiv." Sua obsessão não só estava sugando o tempo de seu trabalho e de outras prioridades como também começou a prejudicar sua saúde. "Quando eu usava o Striiv, eu dava 24 mil passos por dia. Pode fazer as contas."

Chance lembra que, ao fim de um dia especialmente ativo, ela recebeu uma oferta tentadora de seu Striiv. "Era meia-noite, eu estava escovando os dentes e me aprontando para dormir, e o Striiv me mandou um novo desafio: 'Você ganhará o triplo dos pontos se subir vinte degraus agora!'" Chance viu que levaria mais ou menos um minuto para completar o desafio, subindo e descendo duas vezes a escadaria do porão. Depois de completar o desafio, ela recebeu outra notificação, encorajando-a a subir mais quarenta degraus para ganhar o triplo de pontos. Ela pensou: "Opa! Vale muito a pena!" e correu para subir mais quatro lances de escada.

A caminhada incessante não parou por aí. A professora passou as duas horas seguintes (da meia-noite até as 2 da manhã) subindo e descendo as escadas do porão, como se estivesse possuída por algum estranho poder controlador da mente. Quando ela finalmente parou, é que se deu conta de que tinha subido mais de 2 mil degraus. Isso é mais do que os 1.872 degraus necessários para subir até o topo do Empire State Building. Enquanto subia e descia as escadas no meio da noite, ela simplesmente não conseguia parar. Sob a influência do Striiv Smart Pedometer, Chance se transformou em um *zumbi fitness*.

À primeira vista, a história de Chance é um caso clássico de como algo aparentemente tão saudável quanto um pedômetro pode se transformar em uma terrível distração. Quando fiquei sabendo da estranha obsessão de Chance com seu monitorador de atividade física, fiquei curioso para saber mais. Porém, primeiramente, eu precisava entender melhor o que realmente motivou seu comportamento.

Passamos centenas de anos acreditando que a motivação é um resultado de recompensas e punições. Como disse Jeremy Bentham, o filósofo inglês e criador do utilitarismo, "A natureza colocou a humanidade sob o comando de dois mestres soberanos, a dor e o prazer".[3] A realidade, contudo, é que a motivação tem muito menos relação com o prazer do que se acreditava no passado.

Mesmo quando achamos que estamos em busca do prazer, na verdade somos motivados pelo desejo de nos livrar da dor do querer.

Epicuro, o filósofo da Grécia antiga, explicou melhor: "Por prazer, referimo-nos à ausência de dor no corpo e de inquietação na alma".[4]

Em resumo, o desejo de aliviar o desconforto é a causa fundamental de todo o nosso comportamento, e todo o resto não passa de causas imediatas.

Vejamos o exemplo de um jogo de sinuca. O que faz as bolas coloridas entrarem nas caçapas? É a bola branca, o taco ou as ações do jogador? Sabemos que, embora a bola branca e o taco sejam necessários, a causa fundamental é o jogador.[5] A bola branca e o taco não são as causas fundamentais. Elas são apenas as causas imediatas, que antecederam o evento resultante.

No jogo da vida, costuma ser difícil identificar a causa fundamental das coisas. Quando não ganhamos aquela promoção, podemos culpar o colega espertinho que acabou sendo promovido no nosso lugar, em vez de refletir sobre a nossa falta de qualificação e iniciativa. Quando brigamos com nosso marido ou esposa, podemos achar que a culpa foi daquele pequeno incidente, como o lixo que não foi levado para fora, em vez de reconhecer anos de acúmulo de problemas não resolvidos.

E, quando culpamos nossos adversários políticos e ideológicos pelos problemas do mundo, optamos por não buscar conhecer as razões sistêmicas mais profundas que levaram aos problemas.

Essas causas imediatas têm um fator em comum: elas nos ajudam a desviar a responsabilidade para alguma outra coisa ou alguma outra pessoa. Não é que a bola branca e o taco não fazem parte da equação, assim como o colega que ganhou a promoção ou o lixo que ficou dentro de casa, mas esses fatores não são os únicos responsáveis pelo resultado. Se não nos conscientizarmos das causas fundamentais e as resolvermos, ficaremos presos, como vítimas indefesas, em uma tragédia da nossa própria criação.

As distrações da nossa vida funcionam do mesmo jeito: elas são as causas imediatas que culpamos, enquanto as causas fundamentais permanecem ocultas. Tendemos a culpar coisas como a TV, *junk food*, mídias sociais, cigarros e videogames, mas tudo isso não passa das causas imediatas da nossa distração.

Culpar um smartphone por causar a distração é tão equivocado quanto culpar um pedômetro por compelir uma pessoa a subir escadas.

Se não resolvermos as causas fundamentais da nossa distração, continuaremos a encontrar maneiras de nos distrair. Acontece que o problema não é a distração em si, mas a maneira como reagimos a ela.

Em uma longa conversa por e-mail, Zoë Chance me revelou algumas tristes verdades que levaram a seus comportamentos extremos e que ela não contou em sua palestra no TEDx. "Meu vício pelo Striiv coincidiu com uma das épocas mais estressantes da minha vida", ela me contou. "Eu estava procurando um emprego como professora iniciante de marketing, um processo cansativo, demorado e que envolvia uma tremenda incerteza." Ela explicou: "Muitos acadêmicos em busca de emprego começam a apresentar sintomas físicos do estresse. Meu cabelo estava caindo, eu não conseguia dormir e tinha palpitações cardíacas. Parecia que eu estava enlouquecendo e eu achava que tinha de esconder o problema das pessoas".[6]

Chance também escondia um segredo sobre seu casamento: seu marido também era professor de marketing e ela precisava encontrar um emprego na universidade dele ou empregos para os dois em outra universidade. "Os departamentos de marketing são pequenos", ela explicou, "e é raríssimo encontrar duas vagas no mesmo lugar".

Para complicar ainda mais as coisas, o casamento estava desmoronando. "Eu não sabia se o casamento sobreviveria, mas, na esperança de tudo dar certo, de continuarmos casados e conseguirmos um emprego na mesma universidade, não queríamos que ninguém da universidade dele soubesse que poderíamos nos divorciar, porque isso reduziria as chances de eles me oferecerem um emprego."

Chance estava contra a parede. "Eu sabia que nada do que eu fizesse garantiria que nosso casamento seria salvo ou que eu encontraria um emprego e, olhando para trás agora, consigo ver que o Striiv me deu algo que eu tinha como controlar e sentir que estava progredindo de alguma forma." Durante esse período especialmente difícil de sua vida, ela conta que usou o Striiv como um mecanismo de enfrentamento. "Era uma fuga da realidade", ela admite.

A maioria das pessoas recusa-se a admitir a incômoda realidade de que a distração é sempre uma fuga da realidade. A maneira como lidamos com os gatilhos internos incômodos determina se buscamos ações saudáveis de tração ou distrações autodestrutivas.

No caso de Chance, acumular pontos no Striiv lhe dava a fuga que ela estava procurando. Para outras pessoas, a fuga pode vir na forma de checar continuamente as mídias sociais, mergulhar no trabalho, passar horas a fio vendo TV ou, em alguns casos, beber ou se drogar.

Se você estiver tentando fugir da dor de algo tão grave quanto um divórcio iminente, o verdadeiro problema não é o pedômetro. Se você não tiver coragem de encarar o desconforto que leva ao desejo de fugir, continuará recorrendo a alguma distração.

Só poderemos começar a controlar a dor e encontrar um jeito melhor de lidar com nossas compulsões negativas se tivermos a coragem de encarar o desconforto.

Por sorte, Chance conseguiu perceber isso sozinha. Ela começou se concentrando na verdadeira fonte de desconforto em sua vida, com foco nos gatilhos internos dos quais ela tentava escapar. Ela e o marido acabaram se separando, mas ela diz que está muito mais feliz agora. Profissionalmente, ela conseguiu um emprego de período integral na Yale, onde leciona até hoje. Ela também encontrou maneiras melhores de manter-se saudável e no controle de seu tempo, agendando atividades físicas regulares em vez de deixar-se dominar por um pedômetro.

Apesar de Chance ter conseguido vencer sua obsessão, o pedômetro Striiv não será a última distração de sua vida. Todavia, ao identificar a causa fundamental em vez de culpar a causa imediata, ela terá mais condições de resolver o verdadeiro problema da próxima vez. Quando usadas em conjunto, as estratégias e técnicas que você está prestes a aprender nesta seção têm um efeito ao mesmo tempo imediato e de longo prazo.

⭐ LEMBRE-SE DISSO

- **Identifique a causa fundamental da distração.** A distração envolve mais do que os seus aparelhos. Separe as causas imediatas da causa fundamental.

- **Toda motivação é um desejo de fugir do desconforto.** Se um comportamento levar a alguma forma de alívio, é provável que continuemos a usá-lo como uma maneira de fugir do desconforto.

- **Qualquer coisa que nos afasta do desconforto é potencialmente viciante, mas todos nós temos a capacidade de resistir.** Se você identificar os fatores que motivam o seu comportamento, pode tomar medidas para administrá-los.

Capítulo 4

Administrar o Tempo na Verdade é Administrar a Dor

No começo, eu não quis acreditar na verdade inconveniente das verdadeiras causas da distração. Todavia, depois de ler e digerir uma montanha de pesquisas e estudos científicos, fui forçado a encarar o fato de que a nossa motivação para nos distrair nasce dentro de nós. Como é o caso de todo o comportamento humano, a distração não passa de outra maneira que nosso cérebro usa para tentar lidar com a dor. Se admitirmos esse fato, faz sentido que a única maneira de lidar com a distração seja aprender a lidar com o desconforto.

Se as distrações nos custam tempo, a administração do tempo no fundo é a administração da dor.

Mas de onde vem o nosso desconforto? Por que vivemos inquietos e insatisfeitos? Vivemos no período mais seguro, mais saudável, mais esclarecido e mais democrático da história da humanidade[1] e mesmo assim parte da psique humana nos leva a procurar constantemente uma fuga da nossa agitação interior. Como o poeta do século 18 Samuel Johnson declarou: "Minha vida é uma longa fuga de mim mesmo".[2] A minha também, meu caro... A minha também...

Por sorte, podemos nos consolar sabendo que todos nós, seres humanos, fomos programados para esse tipo de insatisfação. Sinto dizer, mas você e eu provavelmente jamais ficaremos completamente satisfeitos com a vida. Teremos alguns momentos efêmeros de alegria. Talvez uma sensação ocasional de euforia. Podemos cantarolar "Happy", do filme *Meu malvado favorito*, no chuveiro de vez em quando. Tudo bem, quem nunca fez isso? Mas e a satisfação do tipo "feliz para sempre" que vemos nos filmes? Pode esquecer. Isso é um mito. Esse tipo de felicidade nunca dura muito. Milhares de anos de evolução nos deram um cérebro que evoluiu para permanecer em um estado quase constante de insatisfação.

Fomos programados assim por uma razão bem simples. Como observa um estudo publicado na *Review of General Psychology*: "Se a satisfação e o prazer fossem permanentes, teríamos pouco incentivo para continuar buscando novos benefícios ou avanços".[3] Em outras palavras, a satisfação não ajuda a espécie humana a evoluir. Nossos ancestrais trabalharam e se esforçaram mais porque evoluíram para sentir uma inquietação perpétua, e continuamos assim até hoje.

O problema é que as mesmas características evolucionárias que ajudaram nossos ancestrais a sobreviver, levando-os constantemente a fazer mais, podem conspirar contra nós hoje.

Quatro fatores psicológicos fazem com que a satisfação seja meramente temporária.

Vamos começar com o primeiro fator: o tédio. As coisas às quais as pessoas se submetem para evitar o tédio são chocantes, às vezes literalmente. Em um estudo de 2014 publicado na *Science*, os pesquisadores pediram aos participantes que ficassem em uma sala pensando por quinze minutos.[4] A sala estava vazia, com a exceção de um aparelho que permitia aos participantes dar um choque elétrico em si mesmos, um choque leve, porém doloroso. "Por que alguém iria querer fazer isso?", você pode perguntar.

Antes de conduzir os participantes à sala, os pesquisadores perguntaram se eles pagariam para evitar levar um choque e todos disseram que sim. Todavia, quando ficaram sozinhos na sala com o aparelho sem mais nada para fazer, 67% dos homens e 25% das mulheres usaram a máquina para levar o choque e muitos o fizeram várias vezes. Os autores do estudo concluíram: "As pessoas preferem agir a pensar, mesmo se o resultado da ação for tão desagradável que elas normalmente pagariam para evitá-lo. A mente não treinada não gosta de ficar sozinha consigo mesma". Não é de se surpreender, portanto, que a maioria dos 25 principais sites dos Estados Unidos se volte a vender uma fuga do tédio do nosso dia a dia, seja por meio de compras, fofocas sobre celebridades ou pequenas doses de interação social.[5]

O segundo fator psicológico que nos leva à distração é o viés da negatividade, "um fenômeno no qual os eventos negativos são mais salientes e chamam mais a atenção do que os eventos neutros ou positivos".[6] Como o autor de um estudo concluiu, "Parece que, para a mente humana, o ruim é mais forte que o bom".[7] Esse pessimismo começa bem cedo na nossa vida. Bebês começam a mostrar sinais do viés da negatividade já aos 7 meses de idade, sugerindo que essa tendência é inata.[8] Além disso, pesquisadores acreditam que temos mais facilidade de recordar as lembranças ruins do que as boas. Estudos descobriram que as pessoas têm mais chances de lembrar momentos infelizes de sua infância, mesmo quando elas dizem que sua infância em geral foi feliz.[9]

É quase certo que o viés da negatividade tenha nos dado uma vantagem evolutiva. As coisas boas são legais, mas coisas ruins podem nos matar, e é por isso que prestamos mais atenção e lembramos mais das coisas ruins. Pode até ser útil ser assim, mas que droga!

O terceiro fator é a ruminação, nossa tendência a ficar matutando sobre as experiências ruins. Se já aconteceu de você ficar remoendo sem parar sobre algo que fez ou que alguém fez a você, ou sobre algo que você não tem, mas que gostaria de ter, incapaz de parar de pensar a respeito, você vivenciou o que os psicólogos chamam de *ruminação*. Essa "comparação passiva da nossa situação atual com algum padrão inatingível"[10] pode se manifestar em pensamentos autocríticos, como: "Por que eu sou incapaz de lidar melhor com os problemas?" Como um estudo observa, "Ao refletir sobre o que deu errado e como corrigir a situação, as pessoas podem identificar as origens do erro ou encontrar estratégias alternativas, o que pode ajudá-las a não repetir os erros e possivelmente melhorar no futuro".[11] Outra característica potencialmente útil, mas, caramba, pode fazer da nossa vida um inferno.

O tédio, o viés da negatividade e a ruminação podem nos levar a distrações. Porém, um quarto fator pode ser o mais cruel de todos. A adaptação hedônica, a nossa tendência de retornar rapidamente a um nível básico de satisfação, não importa o que acontecer na nossa vida, é o grande truque da Mãe Natureza para forçar nossa evolução. Todos os tipos de eventos da vida que achamos que nos deixariam mais felizes, na verdade, não levam à nossa felicidade, pelo menos não por muito tempo. Por exemplo, pessoas que tiraram a sorte grande, como ganhar na loteria, disseram que coisas que antes lhes davam prazer perderam o apelo e elas acabaram voltando aos mesmos níveis anteriores de satisfação.[12] Como David Myers escreve em *The Pursuit of Happiness*, "Toda experiência desejável, como paixão, euforia espiritual, o prazer de uma nova posse, a satisfação do sucesso, é transitória".[13] Como você já pode imaginar, a adaptação hedônica também tem seus benefícios evolutivos. O autor de um estudo explica que, à medida que "nos voltamos continuamente a atingir novas metas, buscamos constantemente a felicidade sem perceber que, em longo prazo, todas as tentativas são fúteis".[14]

Podemos sugerir a música triste do violino agora? Será que estamos destinados a uma vida de esforços que não levam a nada? De jeito nenhum. Como vimos, a insatisfação é uma força inata que pode ser mobilizada para nos ajudar a melhorar a situação, do mesmo modo como ajudou nossos ancestrais pré-históricos.

A insatisfação e o desconforto dominam o estado normal do nosso cérebro, mas podemos usá-los para nos motivar, em vez de nos deixar derrotar.

Sem a perpétua inquietação da nossa espécie, estaríamos em uma situação muito pior... talvez até extintos. É a nossa insatisfação que nos motiva a fazer tudo o que fazemos, inclusive caçar, buscar, criar e nos adaptar. Até as ações altruístas, como ajudar os outros, são motivadas pela nossa necessidade de fugir de sentimentos de culpa e injustiça. Nosso desejo insaciável de conseguir mais é o que nos leva a derrubar os déspotas do poder; é o que nos motiva a inventar tecnologias que mudam o mundo e salvam vidas; e é o combustível invisível que impele o nosso desejo de explorar outros planetas.

A insatisfação é responsável tanto pelos avanços quanto pelos defeitos da nossa espécie. Para mobilizar esse poder, precisamos tirar da nossa cabeça a ideia equivocada de que, se não estivermos felizes, não somos normais. Pelo contrário. Isso tudo pode ser um balde de água fria, mas também pode nos dar uma liberdade incrível.

É bom saber que na verdade não é ruim sentir-se mal; é exatamente o que a sobrevivência do mais apto pretendia.

Se admitirmos essa verdade, teremos uma chance de evitar cair nas arapucas armadas pela nossa psique. Podemos reconhecer a dor e nos elevar acima dela, o que constitui o primeiro passo do caminho para nos tornar indistraíveis.

⚑ LEMBRE-SE DISSO

- **Administrar o tempo, na verdade, é administrar a dor.** As distrações nos custam tempo e, como todas as ações, são instigadas pelo nosso desejo de fugir do desconforto.

- **A evolução favoreceu a insatisfação à satisfação.** Nossas tendências ao tédio, ao viés da negatividade, à ruminação e à adaptação hedônica conspiram para garantir que nunca ficaremos muito tempo satisfeitos.

- **A insatisfação é responsável tanto pelos avanços quanto pelos defeitos da nossa espécie.** A insatisfação é uma força inata que pode ser mobilizada para nos ajudar a melhorar a situação.

- **Se quisermos dominar a distração, devemos aprender a lidar com o desconforto.**

Capítulo 5

Lide com as Distrações de Dentro para Fora

Jonathan Bricker, um psicólogo do Centro de Pesquisa do Câncer Fred Hutchinson, em Seattle, dedicou sua carreira a ajudar as pessoas a lidar com o tipo de desconforto que não só leva à distração, mas também à doença. Foi comprovado que a metodologia desenvolvida por ele efetivamente reduz o risco de câncer ao mudar o comportamento dos pacientes. Bricker escreve: "A maioria das pessoas não vê o câncer como um problema comportamental, mas, seja parando de fumar, perdendo peso ou se exercitando mais, é possível fazer algumas coisas para efetivamente reduzir os riscos e ter uma vida mais longa e com mais qualidade".[1]

A abordagem de Bricker envolve mobilizar o poder da imaginação para ajudar os pacientes mudar sua visão das coisas. Seu trabalho mostra como aprender as técnicas da terapia de aceitação e compromisso (ACT, na sigla em inglês) pode aplacar o desconforto que tantas vezes leva a distrações prejudiciais.

Bricker decidiu se focar em combater o tabagismo e criou um aplicativo para ajudar as pessoas a aplicar as técnicas da ACT. Embora ele use a ACT especificamente para ajudar as pessoas a parar de fumar, foi comprovado que os princípios dessa metodologia reduzem muitos tipos de impulsos. A base da terapia é aprender a identificar e aceitar o *craving*[3] e a lidar com ele de maneira saudável. Em vez de suprimir os

---

3 Nota da tradutora - A Organização Mundial da Saúde - OMS, definiu o craving como um desejo de repetir a experiência dos efeitos de uma dada substância. Este desejo pode ocorrer tanto na fase de consumo quanto no início da abstinência, ou após um longo tempo sem utilizar a substância costumando vir acompanhado de alterações no humor, no comportamento e no pensamento.

impulsos, a ACT recomenda um método para recuar, notar, observar e, por fim, deixar o impulso desaparecer naturalmente. Porém, por que não podemos simplesmente lutar contra os nossos impulsos? Por que não podemos apenas dizer *não*?

Acontece que a abstinência mental pode sair pela culatra.

Como Fiodor Dostoievski escreveu em 1863, "Tente impor-se a si mesmo a seguinte tarefa: não pense em um urso polar. Você verá que o maldito bicho lhe virá à mente a cada minuto".[2] Cento e vinte e quatro anos depois, o psicólogo social Daniel Wegner pôs em teste a afirmação de Dostoievski.

Em um estudo, os participantes que foram orientados a passar cinco minutos evitando pensar em um urso polar o fizeram em média uma vez por minuto, exatamente como Dostoievski previu. Porém, o estudo de Wegner não se restringiu a isso. "Quando o mesmo grupo foi orientado a tentar visualizar mentalmente o urso polar, eles o fizeram com muito mais frequência do que o grupo que não tinha sido orientado a reprimir o pensamento. Os resultados sugeriram que suprimir o pensamento nos cinco primeiros minutos levou o pensamento a 'ressurgir' com muito mais destaque na mente dos participantes depois", segundo um artigo publicado na *Monitor on Psychology*.[3] Wegner apelidou essa tendência de "teoria do processo irônico" para explicar a dificuldade de domar os pensamentos que invadem nossa mente. A ironia, naturalmente, é que a tentativa de minimizar a tensão do desejo faz com que o objeto do desejo seja ainda mais gratificante.

Um ciclo interminável de resistir, ruminar e, por fim, ceder ao desejo perpetua o ciclo e, muito possivelmente, motiva muitos dos nossos comportamentos indesejáveis.

Por exemplo, muitos fumantes acreditam que é a dependência química na nicotina que causa o *craving*. Eles não estão errados, mas também não estão totalmente certos. A nicotina produz sensações físicas distintas. No entanto, um estudo fascinante envolvendo comissários de bordo demonstrou como o *craving* para fumar pode ter muito menos relação com a nicotina do que costumávamos acreditar.

Dois grupos de comissários de bordo fumantes embarcaram em dois voos separados saindo de Israel. Um grupo embarcou em um voo de três horas para a Europa, enquanto o outro grupo viajou para Nova York, em um voo de dez horas. Os pesquisadores pediram que os participantes avaliassem seu nível de *desejo* em intervalos predefinidos, antes, durante e depois do voo.[4] Se o *desejo* só fosse motivado pelo efeito da nicotina no cérebro, seria de se esperar que os dois grupos relatassem intensos desejos depois do mesmo número de minutos após o último cigarro e, quanto mais tempo passasse, mais seu cérebro desejaria quimicamente a nicotina. Porém, não foi o que aconteceu.

Quando os comissários de bordo a caminho de Nova York sobrevoavam o Oceano Atlântico, eles relataram *desejos* de baixa intensidade. Enquanto isso, no mesmo exato momento, seus colegas que tinham acabado de desembarcar na Europa relataram os *desejos* mais intensos. Por que será?

Os comissários de bordo viajando para Nova York sabiam que não tinham como fumar durante o voo ou seriam demitidos. Foi só depois, ao se aproximar do destino, é que eles relataram o maior desejo de fumar. Aparentemente a duração da viagem e o tempo passado desde o último cigarro não afetou a intensidade do *desejo* dos comissários de bordo.

O que afetou seu desejo não foi o tempo transcorrido depois de fumar, mas o tempo *restante* até eles poderem fumar de novo.[5] Se, como esse estudo sugere, *o craving* por algo tão viciante quanto a nicotina pode ser manipulada dessa maneira, por que não podemos enganar nosso cérebro para controlar outros desejos prejudiciais? A boa notícia é que isso é absolutamente possível!

Você notará que, ao longo deste livro, vou falar de muitas pesquisas sobre o combate ao tabagismo e ao vício em drogas. Faço isso por duas razões: em primeiro lugar, embora os estudos mostrem que pouquíssimas pessoas são patologicamente " viciadas " em distrações como a internet, o uso excessivo das tecnologias pode parecer um vício; em segundo lugar, eu quis enfatizar que, se essas técnicas comprovadas conseguem combater a dependência física da nicotina e de outras substâncias, elas sem dúvida também podem nos ajudar a controlar nosso *craving* pela distração.[6] Afinal, não estamos injetando Instagram na veia nem cheirando Facebook.

Certos desejos podem ser controlados, senão completamente mitigados, só pela maneira como pensamos sobre os nossos impulsos. Nos próximos capítulos, aprenderemos a mudar nossa visão sobre três fatores: o gatilho interno, a tarefa e o nosso temperamento.

■ LEMBRE-SE DISSO

- **Se não usarmos técnicas para desarmar a tentação, a abstinência mental pode sair pela culatra.** Resistir a um impulso pode acionar a ruminação e intensificar o desejo.

- **Podemos administrar as distrações que nascem dentro de nós mudando a forma como pensamos sobre elas.** Podemos reimaginar o gatilho, a tarefa e o nosso temperamento.

Capítulo 6

Reimagine o Gatilho Interno

Embora não tenhamos como controlar os sentimentos e pensamentos que surgem na nossa cabeça, podemos controlar o que fazemos com eles. O trabalho de Bricker aplicando a terapia de aceitação e compromisso em programas de combate ao tabagismo sugere que, em vez de tentar parar de pensar em um impulso, é muito mais interessante aprender maneiras melhores de lidar com eles. O mesmo se aplica a outras distrações, como não desgrudar do celular, comer *junk food* ou fazer compras demais. Em vez de tentar lutar contra o desejo, precisamos de novos métodos para lidar com os pensamentos intrusivos. Os quatro passos a seguir o ajudarão a fazer isso:

PASSO 1: IDENTIFIQUE O DESCONFORTO QUE PRECEDE A DISTRAÇÃO, FOCANDO-SE NO GATILHO INTERNO

Quando escrevo, costumo ter o impulso de procurar alguma coisa no Google. É fácil justificar esse mau hábito dizendo que estou "pesquisando", mas no fundo eu sei que muitas vezes tudo o que eu quero é me distrair quando me deparo com alguma dificuldade. Bricker aconselha nos focar no gatilho interno que precede o comportamento indesejado, como "sentir-se ansioso, ter um *craving*, sentir-se inquieto ou ter sentimentos de incompetência".[1]

PASSO 2: ANOTE O GATILHO

Bricker recomenda anotar o gatilho, não importa se você ceder ou não à distração. Ele sugere anotar o horário, o que você estava fazendo e como se sentiu quando percebeu o gatilho interno que levou ao comportamento distrativo "assim que você se conscientizar do comportamento", porque neste momento é mais fácil lembrar como você se sentiu. Incluí uma "Tabela de monitoramento de distrações" no fim deste livro, no qual você pode anotar os gatilhos que sente ao longo do dia. Você pode baixar e imprimir mais cópias (em inglês), no site NirAndFar.com/Indistractable. Mantenha a sua tabela sempre à mão.

De acordo com Bricker, embora seja mais fácil identificar os gatilhos externos, "leva algum tempo e algumas tentativas para começar a identificar os gatilhos internos". Ele recomenda pensar sobre o impulso como se você fosse um observador, dizendo a si mesmo algo como: "Estou sentindo uma tensão no peito agora. E meu primeiro impulso é olhar o celular". Quanto mais formos capazes de observar nosso comportamento, mais controle teremos sobre ele com o tempo. "A ansiedade desaparece, o pensamento perde a força ou é substituído por outro pensamento".

PASSO 3: EXPLORE SUAS SENSAÇÕES

Em seguida, Bricker recomenda observar a sensação com curiosidade. Por exemplo, os seus dedos se contraem quando você está prestes a se distrair? Você sente um aperto no estômago ou um nó na garganta quando pensa no trabalho quando está com seus filhos? Como é sentir a sensação surgir e se dissipar? Bricker encoraja manter-se com o sentimento antes de colocar o impulso em prática.

Quando técnicas semelhantes foram aplicadas em um estudo sobre o combate ao tabagismo, duas vezes mais participantes que aprenderam a reconhecer e analisar seus *cravings* conseguiram parar de fumar em comparação com o programa de combate ao tabagismo mais eficaz da American Lung Association.²

Uma das técnicas preferidas de Bricker é o método de "deixar a corrente levar". Ao sentir o incômodo gatilho interno que gera o desejo de fazer algo que seria melhor não fazer, "imagine que você está sentado à beira de um pequeno e límpido riacho", ele recomenda. "Então, imagine folhas flutuando no riacho, sendo levadas tranquilamente pela corrente. Coloque um pensamento em cada folha. Pode ser uma lembrança, uma palavra, uma preocupação, uma imagem. E deixe as folhas flutuarem suavemente pelo riacho, girando e se afastando, enquanto você só observa".

PASSO 4: TOME CUIDADO COM OS MOMENTOS LIMINARES

Os momentos liminares são transições de uma coisa a outra, que ocorrem o tempo todo. Você já pegou o celular enquanto espera o farol abrir e percebe que ainda está olhando para o celular enquanto dirige? Ou abriu uma guia no seu navegador, irritou-se com o tempo que a página está levando para carregar e abriu outra página enquanto esperava? Ou olhou para um aplicativo de rede social enquanto ia de uma reunião a outra e viu que ainda estava rolando pelo *feed* ao voltar para a sua mesa? Não há nada de errado com qualquer uma dessas ações por si só. O perigo é que, ao fazê-las "só por um segundo", tendemos a fazer coisas das quais nos arrependemos mais tarde, como passar meia hora navegando sem rumo na internet ou provocar um acidente no trânsito.

Uma técnica que achei interessantíssima para lidar com essa armadilha da distração é a "regra dos dez minutos".³ Se eu me pegar querendo olhar o celular para me distrair quando não consigo pensar em nada melhor para fazer, eu digo a mim mesmo que tudo bem ceder à tentação, mas não agora. Eu só tenho de esperar dez minutos. Essa técnica me ajuda a lidar com todo tipo de distração potencial, como entrar no Google em vez de escrever, abrir um pacote de salgadinhos quando estou entediado ou ver outro episódio na Netflix quando estou "cansado demais para ir para a cama".

Essa regra me dá um tempo para fazer o que alguns psicólogos comportamentais chamam de "surfar na onda do impulso".[4] Quando você se pegar tomado por um desejo, observe as sensações e surfe nelas como se elas fossem uma onda, sem tentar afastá-las nem fazer nada a respeito. Isso nos ajuda a aguentar firme até os sentimentos enfraquecerem.

Comprovou-se que surfar na onda do impulso, ao lado de outras técnicas para observar o *craving*, reduziu o número de cigarros consumidos pelos fumantes participantes de um estudo, em comparação com o grupo de controle, que não usou a técnica.[5] Se ainda quisermos satisfazer o impulso depois de dez minutos surfando nele, nada nos impede de fazê-lo, mas isso raramente acontece. O momento liminar já passou e somos capazes de fazer aquilo que realmente queríamos fazer.

Técnicas como surfar na onda do impulso e visualizar os nossos *craving* como folhas se afastando em um riacho são exercícios mentais que nos ajudam a parar de ceder impulsivamente às distrações. Elas recondicionam nossa mente para reduzir os efeitos dos nossos gatilhos internos de maneira ponderada, não reativa. Como Oliver Burkeman escreveu no *The Guardian*, "É um fato curioso que, quando direcionamos gentilmente nossa atenção às emoções negativas, elas tendem a se dissipar, enquanto as emoções positivas se expandem".[6]

Vimos como podemos reimaginar nossos gatilhos internos. Em seguida, aprenderemos a reimaginar a tarefa na qual estamos tentando nos concentrar.

> **■ LEMBRE-SE DISSO**
>
> - **Ao reimaginar um gatilho interno incômodo, somos capazes de desarmá-lo.**
> - **Passo 1:** Procure a emoção que precede a distração.
> - **Passo 2:** Anote o gatilho interno.
> - **Passo 3:** Observe a sensação negativa com curiosidade, e não com desdém.
> - **Passo 4:** Seja cauteloso durante os momentos liminares.

Capítulo 7

Reimagine a Tarefa

O trabalho de Ian Bogost é estudar a diversão. Bogost, um professor de computação interativa do Instituto de Tecnologia da Geórgia, escreveu dez livros, incluindo títulos peculiares como *How to Talk About Videogames* (Como Falar sobre Videogames), *The Geek's Chihuahua* (O Chihuahua do Geek) e, mais recentemente, *Play Anything* (Transforme Qualquer Coisa numa Brincadeira). Em seu último livro, Bogost faz várias afirmações ousadas questionando tudo o que achávamos que sabíamos sobre a diversão. "Acontece que a diversão", ele escreve, "é divertida, mesmo se não envolver muito (ou qualquer) prazer".[1] Hein? Como assim?

A diversão não anda lado a lado com o prazer? Não necessariamente, segundo Bogost. Ao abrir mão das nossas noções de como devemos nos sentir quando estamos nos divertindo, abrimos nossa mente para ver as tarefas de um jeito diferente. Ele defende que a diversão pode ser incorporada a qualquer tarefa difícil e diz que, embora a diversão não precise necessariamente ser prazerosa, ela pode nos libertar do desconforto, que, não podemos esquecer, é o principal fator que motiva a distração.

Considerando o que sabemos sobre a nossa propensão à distração quando nos sentimos incomodados ou desconfortáveis, reimaginar o trabalho difícil como uma diversão tem um poder fantástico. Imagine o poder que você sentiria se pudesse transformar o trabalho duro e focado que precisa fazer em algo que mais parece uma brincadeira de criança. Será possível? Bogost acredita que sim, mas provavelmente não do jeito que você pode estar imaginando.

A diversão não precisa ser prazerosa, mas pode ser usada como uma ferramenta para nos ajudar a manter o foco.

Você deve se lembrar do conselho de Mary Poppins de colocar "um pouco de açúcar" para transformar uma tarefa em uma brincadeira. Bem, Bogost acredita que Poppins estava errada. Ele diz que essa abordagem "recomenda encobrir um trabalho penoso ou enfadonho". Como ele escreve, "Temos dificuldade de nos divertir porque não levamos as coisas a sério *o suficiente*, não porque as levamos tão a sério que precisamos encobrir seu gosto amargo com açúcar. A diversão não é um sentimento, mas é mais como o vapor do escapamento produzido quando o operador da máquina consegue tratar seu trabalho com dignidade".

Bogost explica que "a diversão é o resultado de manipular deliberadamente uma situação conhecida de uma nova maneira". A solução, portanto, é concentrar-se na própria tarefa. Em vez de fugir da dor ou usar recompensas como prêmios e guloseimas para nos motivar, a ideia é prestar tanta atenção à tarefa a ponto de ser capaz de encontrar novos desafios que você não tinha visto antes. Esses novos desafios nos dão um senso de novidade, o que ajuda a instigar nosso interesse e manter o foco quando somos seduzidos pelas distrações.

Inúmeras distrações produzidas para fins comerciais, como a TV ou as mídias sociais, usam recompensas variáveis semelhantes a caça-níqueis para nos manter engajados com um fluxo constante de novidades. Porém, Bogost observa que podemos usar essas mesmas técnicas para tornar qualquer tarefa mais prazerosa e atraente.

Podemos usar a mesma programação neural que nos mantém grudados nos nossos dispositivos para nos manter engajados em uma tarefa que normalmente seria desagradável.

Bogost dá o exemplo de cortar a grama. "Pode parecer ridículo chamar uma atividade como essa de 'diversão'", ele escreve, mas também diz que aprendeu a adorar a atividade. Veja como: "Primeiro, preste muita atenção aos detalhes, mesmo se parecerem bobagens ou até absurdos". No caso, Bogost absorveu o máximo possível de informações sobre como a grama cresce e como cuidar dela. Em seguida, ele criou um "playground imaginário" onde as limitações os ajudaram a produzir experiências interessantes. Ele aprendeu sobre as restrições, inclusive as condições climáticas e as vantagens e desvantagens de diferentes tipos de equipamentos. Segundo Bogost, operar sob restrições é o segredo para encontrar a criatividade e a diversão. Encontrar o melhor caminho para o cortador de grama ou tentar quebrar um recorde são outras maneiras de criar um playground imaginário.

Pode parecer um exagero aprender a se divertir cortando a grama, mas as pessoas se divertem com uma ampla variedade de atividades que você pode não considerar particularmente interessantes. Por exemplo, a barista obcecada do café do meu bairro, que passa um tempo absurdo fazendo o café perfeito; o fanático por carros que trabalha por horas a fio fazendo ajustes em seu carro; ou a mulher que usa todo o tempo livre para fazer blusas e colchas para todo mundo que ela conhece. Se as pessoas podem se divertir fazendo essas atividades sem ser obrigadas a isso, por que não levar essa mesma abordagem às outras tarefas?

No meu caso, aprendi a me concentrar no trabalho tedioso de escrever livros encontrando um elemento de mistério no meu trabalho. Eu escrevo para responder perguntas interessantes e descobrir novas soluções para velhos problemas. Para usar uma máxima popular, "A cura para o tédio é a curiosidade. Não há cura para a curiosidade".[2] Hoje em dia, eu escrevo para me divertir. É claro que escrever também é a minha profissão, mas, ao encontrar a diversão, posso fazer meu trabalho sem me distrair tanto.

A diversão está em ver a variabilidade em algo que os outros não veem. Está em superar a barreira do tédio e da monotonia para descobrir sua beleza oculta.

Os maiores pensadores e inventores da história fizeram suas descobertas motivados por sua obsessão com o apelo inebriante do conhecimento, o mistério que nos seduz porque queremos saber mais.

Porém, lembre que só é possível encontrar a novidade se nos dermos tempo suficiente para nos focar intensamente em uma tarefa e nos empenhar em procurar a variabilidade. Não importa se for a incerteza sobre a nossa capacidade de fazer uma tarefa melhor ou mais rápido que a última vez ou voltar para enfrentar o desconhecido dia após dia, é a busca para solucionar esses mistérios que transforma o desconforto do qual buscamos escapar com as distrações numa atividade que não vemos a hora e começar.

O último passo para administrar os gatilhos internos que podem levar à distração é reimaginar nossa capacidade. Começaremos desbancando uma crença autodestrutiva muito comum que orienta o comportamento de muitos de nós todos os dias.

★ LEMBRE-SE DISSO

- **Podemos dominar os gatilhos internos reinventando uma tarefa chata.** A diversão pode ser usada como uma ferramenta para nos manter focados.

- **A diversão não precisa ser prazerosa.** Só precisa prender nossa atenção.

- **O senso de propósito e a novidade podem ser incluídos em qualquer tarefa para torná-la divertida.**

Capítulo 8

Reimagine o seu Temperamento

Para administrar o desconforto que nos empurra para as distrações, precisamos mudar nossa visão de nós mesmos. A maneira como vemos nosso temperamento, que é definido como "a natureza de uma pessoa ou animal, especialmente no sentido de afetar permanentemente seu comportamento",[1] afeta profundamente como nos comportamos.

Uma das ideias mais difundidas da psicologia popular é a crença de que nosso autocontrole é limitado ou, em outras palavras, que, pela natureza do nosso temperamento, nossa força de vontade tem um limite que não pode ser superado. Além disso, segundo essa crença, nossa força de vontade pode se exaurir quando nos forçamos demais. Os psicólogos até deram um nome para esse fenômeno: esgotamento do ego.

Não muito tempo atrás, minha rotina depois do trabalho era assim: eu ia para o sofá e passava horas vegetando, vendo Netflix acompanhado de um pote de sorvete (Chocolate Fudge Brownie da Ben & Jerry's, para ser exato). Eu sabia que ficar sentado tomando sorvete não era exatamente um bom hábito, mas justificava minhas ações dizendo a mim mesmo que eu estava "exausto", agindo como se meu ego estivesse esgotado (apesar de eu nunca ter ouvido falar do termo). Essa teoria parece explicar com perfeição minhas indulgências depois do trabalho. Porém, será que o esgotamento do ego é real?

Em 2011, o psicólogo Roy Baumeister escreveu o best-seller *Força de Vontade: a Redescoberta do Poder Humano* em coautoria com o jornalista John Tierney, do *New York Times*.[2] O livro menciona vários dos estudos de Baumeister demonstrando a teoria do esgotamento do ego, incluindo um experimento famoso que mostrava uma maneira aparentemente milagrosa de recuperar a força de vontade: consumir açúcar.[3] O estudo alegava que os participantes que tomaram um pouco de limonada com açúcar apresentaram mais autocontrole e resistência para fazer tarefas difíceis.

Todavia, recentemente os cientistas deram uma olhada mais aprofundada na teoria e vários questionaram a ideia. Evan Carter, da Universidade de Miami, foi um dos primeiros a questionar as constatações de Baumeister. Em uma meta-análise (um estudo de estudos) de 2010, Carter analisou quase duzentos experimentos que concluíram que o esgotamento do ego era real. Só que, depois de uma análise mais minuciosa, ele identificou um "viés de publicação" que levou à não inclusão de estudos que produziram evidências contraditórias.[4] Ao incluir esses resultados, ele concluiu que não havia evidências concretas para sustentar a teoria do esgotamento do ego.[5] Além disso, alguns dos aspectos mais "mágicos" da teoria, como a ideia de que o açúcar pode aumentar a força de vontade, foram completamente desbancados.[6]

O que poderia explicar o fenômeno do esgotamento do ego? Os resultados dos estudos preliminares podem ter sido autênticos, mas parece que os pesquisadores se precipitaram em suas conclusões. Novos estudos demonstram que tomar limonada com açúcar pode até melhorar o desempenho, mas não pela razão defendida por Baumeister. O aumento do desempenho não teve qualquer relação com o açúcar e tudo a ver com os nossos pensamentos. Em um estudo conduzido pela psicóloga da Stanford Carol Dweck e seus colegas, publicado no *Proceedings of National Academy of Sciences*, Dweck concluiu que os sinais de esgotamento do ego só foram observados nos participantes que acreditavam que a força de vontade era um recurso limitado.[7] Não foi o açúcar da limonada, mas a crença em seus efeitos que deu aos participantes um gás a mais.

As pessoas que não viam a força de vontade como um recurso finito não apresentaram sinais de esgotamento do ego.

Muitas pessoas continuam promovendo a ideia do esgotamento do ego, talvez por desconhecer as evidências que demonstram o contrário. Todavia, se as conclusões de Dweck estiverem corretas, perpetuar a ideia causa danos concretos. Se o esgotamento do ego for em grande parte provocado por pensamentos autodestrutivos e não por alguma limitação biológica, a ideia reduz nossas chances de atingir nossos objetivos nos dando uma justificativa para desistir mesmo tendo condições de persistir.

Michael Inzlicht, professor de psicologia da Universidade de Toronto e pesquisador-chefe do Laboratório de Neurociências Sociais de Toronto, dá uma explicação alternativa. Ele acredita que a força de vontade não é um recurso finito, mas atua como uma emoção.[8] Da mesma forma como a alegria ou a raiva "se exaurem", a força de vontade aumenta e diminui de acordo com o que está acontecendo conosco e como nos sentimos.

Essa nova maneira de ver a relação entre temperamento e força de vontade tem profundas implicações na maneira como focamos nossa atenção. Para começar, se a energia mental é mais como uma emoção do que como combustível no tanque de um carro, ela pode ser administrada e utilizada como uma emoção. Um bebê pode fazer birra quando nos recusamos a lhe entregar um brinquedo, mas, com a idade, desenvolverá o autocontrole e aprenderá a lidar com mais tranquilidade com os sentimentos negativos. Assim, quando precisamos realizar uma tarefa difícil, é mais produtivo e saudável acreditar que a falta de motivação é temporária do que pensar que estamos esgotados e que precisamos fazer uma pausa (e quem sabe, mais um pouco de sorvete).

Até podemos nos livrar da crença de que a nossa força de vontade é limitada, mas a nossa visão da força de vontade é só uma das facetas do temperamento. Vários estudos recentes encontraram uma forte relação entre a maneira como vemos outros aspectos da natureza humana e a nossa capacidade de ir até o fim no que nos propomos a fazer.

Por exemplo, para determinar até que ponto as pessoas acreditam que têm controle de seu *craving* de fumar, drogar-se ou beber, pesquisadores usam um questionário padrão chamado Craving Beliefs Questionnaire (questionário de crenças sobre o *craving*).[9] O questionário é ajustado de acordo com o tipo de vício do participante e inclui afirmações como: "Quando começo a sentir o *craving* para tomar opioides, não tenho controle sobre o meu comportamento"; "O *craving* pelos opioides é mais forte que a minha força de vontade"; e "Sempre terei vontade de tomar opioides

A pontuação que os respondentes atribuem a essas afirmações revela muito, não só sobre sua situação de dependência, mas também sobre suas chances de continuar dependentes. Os participantes que dizem sentir mais controle com o passar do tempo têm mais chances de parar.[10] Por outro lado, estudos com usuários de metanfetamina e fumantes constataram que os participantes que acreditavam ser incapazes de resistir tinham mais chances de reincidência depois de parar.[11]

A lógica é clara, mas a extensão do efeito é surpreendente. Um estudo publicado no *Journal of Studies on Alcohol and Drugs* descobriu que os participantes que se sentiam impotentes no combate ao *craving* tinham muito mais chances de voltar a beber.[12]

As crenças dos viciados em relação à sua impotência mostraram-se tão importantes para determinar uma recaída após o tratamento quanto seu nível de dependência física.

Pare um pouco para pensar na frase anterior. A atitude mental fez tanta diferença quanto à dependência física! O que dizemos a nós mesmos faz uma enorme diferença. Achar que você tem pouco autocontrole efetivamente leva a ter menos autocontrole.[13] Em vez de achar que fracassamos porque há alguma coisa errada conosco, é melhor que nos tratemos com compaixão e gentileza diante de contratempos e adversidades.

Vários estudos constataram que pessoas mais autocompassivas sentem mais bem-estar. Uma revisão de 79 estudos conduzida em 2015, que analisou as respostas de mais de 16 mil voluntários, revelou que as pessoas que têm "uma atitude positiva e solidária... consigo mesmas diante de fracassos e fraquezas individuais" tendem a ser mais felizes.[14] Outro estudo descobriu que a tendência das pessoas a se culpar, bem como o tempo que elas passavam ruminando um problema, podia explicar quase todos os fatores mais comuns associados à depressão e à ansiedade.[15] O nível de autocompaixão afetou mais a propensão do participante de desenvolver ansiedade e depressão do que todas as dificuldades que podem arruinar a vida de uma pessoa, como eventos traumáticos, histórico familiar de doença mental, baixo status social ou falta de suporte social.

A vantagem é que podemos mudar nossa visão de nós mesmos para mobilizar o poder da autocompaixão. Isso não quer dizer que nunca vamos pisar na bola. Todo mundo pisa. Todos nós somos vítimas de uma ou outra distração. O importante é assumir a responsabilidade pelas nossas ações sem nos deixar abater pela culpa tóxica que nos deixa ainda piores e, ironicamente, pode nos levar a buscar ainda mais distrações para fugir da dor da vergonha.

A autocompaixão aumenta a resiliência das pessoas às decepções, rompendo o ciclo vicioso do estresse que costuma acompanhar os fracassos.

Quando você ouvir a *voz* na sua cabeça que adora fazer um *bullying*, é importante saber como reagir. Em vez de aceitar o que a voz está dizendo ou tentar argumentar com ela, lembre que os obstáculos fazem parte do processo de crescimento. Sem prática, não temos como melhorar e às vezes as coisas podem ficar difíceis.

Uma boa regra é falar consigo mesmo como você falaria com um amigo. Como sabemos muito sobre nós mesmos, tendemos a ser nossos piores críticos, mas, se você falar consigo mesmo do jeito que falaria ao ajudar um amigo, pode ter uma visão muito mais objetiva da situação. Dizer a si mesmo coisas como "Pense que você vai poder usar essa experiência no futuro caso isso voltar a acontecer" e "Dê uma olhada no quanto você já avançou" são maneiras mais saudáveis de lidar com as dúvidas quanto à sua própria capacidade.

Reimaginar o gatilho interno, a tarefa e o nosso temperamento são maneiras eficazes e comprovadas de lidar com as distrações que começam dentro de nós. Podemos lidar com os gatilhos internos desconfortáveis refletindo sobre o nosso desconforto em vez de reagir impulsivamente a eles. Podemos reimaginar a tarefa que estamos tentando realizar procurando elementos de diversão e intensificando nosso foco na tarefa. Por fim, e o mais importante, podemos mudar nossa visão de nós mesmos para nos livrar das crenças que restringem o nosso potencial. Se acreditarmos que não temos força de vontade e autocontrole suficientes, é o que inevitavelmente acontecerá. Se decidirmos que somos impotentes para resistir à tentação, isso se tornará realidade. Se dissermos a nós mesmos que somos deficientes ou problemáticos por natureza, acreditaremos em cada palavra.

Você não precisa acreditar em tudo o que pensa. Você só é impotente se achar que é.

> ## ⭐ LEMBRE-SE DISSO
>
> - **Reimaginar nosso temperamento pode nos ajudar a administrar nossos gatilhos internos.**
> - **Nossa força de vontade nunca se esgota.** Acreditar que nossa força de vontade é limitada reduz nossas chances de atingir nossos objetivos, dando-nos uma justificativa para desistir, mesmo tendo condições de persistir.
> - **O que dizemos a nós mesmos faz uma enorme diferença.** Achar que você não tem muito autocontrole é um caminho certo para o fracasso.
> - **Pratique a autocompaixão.** Fale consigo mesmo como falaria com um amigo. As pessoas mais autocompassivas são mais resilientes.

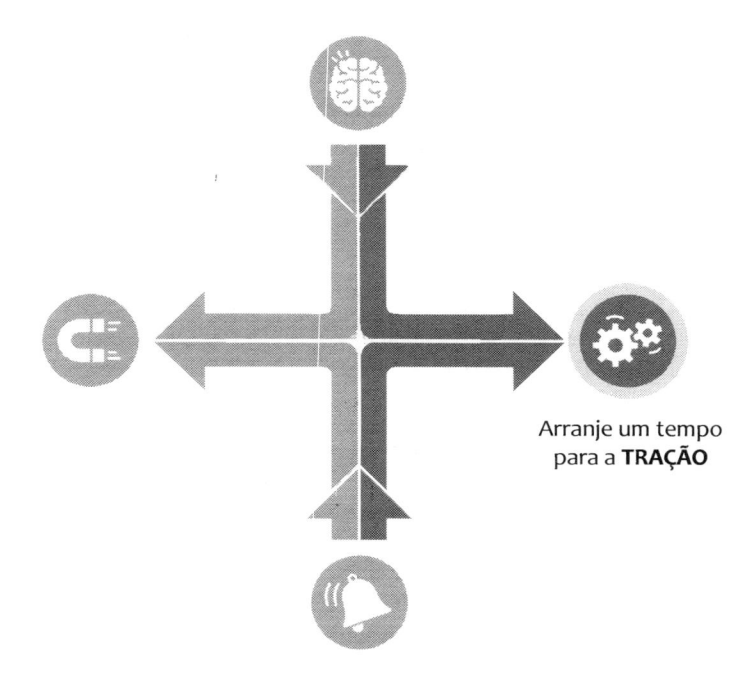

Parte 2
Arranje um Tempo para a Tração

Arranje um tempo para a **TRAÇÃO**

Capítulo 9

Traduza os seus Valores em Tempo

A tração o aproxima do que você quer conquistar na vida, enquanto a distração o afasta. Na Parte 1, aprendemos maneiras de lidar com os gatilhos internos que podem nos levar às distrações e vimos como reduzir as fontes de desconforto. Se não controlarmos nosso impulso de fugir de sentimentos desconfortáveis, estaremos fadados a viver em busca de quebra-galhos para aliviar a dor.

O próximo passo é encontrar maneiras de aumentar nossas chances de tração, começando com a maneira como passamos nosso tempo. O escritor e filósofo alemão Johann Wolfgang von Goethe acreditava ser capaz de prever o futuro de qualquer pessoa com base em uma simples informação. "Se eu souber como você passa seu tempo", escreveu ele, "saberei o que acontecerá com você".[1]

Pense em todas as maneiras nas quais as pessoas desperdiçam seu tempo. Sêneca, um filósofo estoico romano, escreveu: "As pessoas são frugais para proteger suas posses, mas, quando se trata de desperdiçar o tempo, elas são absolutamente perdulárias com a coisa que mais merece parcimônia".[2] Sêneca escreveu mais de dois mil anos atrás, mas suas palavras continuam válidas até hoje. Pense em todas as travas, sistemas de segurança e depósitos que usamos para proteger nossa propriedade e em como fazemos tão pouco para proteger nosso tempo.

Um estudo da Associação Internacional de Produtos Promocionais descobriu que só um terço dos americanos mantêm uma agenda diária, o que significa que a grande maioria acorda todo dia de manhã sem qualquer programação formalizada.[3] Nosso bem mais precioso (nosso tempo) fica desprotegido, à espera de ser roubado. Se não planejarmos os nossos dias, alguma outra pessoa o fará.[4]

É por isso que precisamos programar nossos dias. Mas por onde começar? A abordagem mais comum é fazer uma lista de tarefas. Anotamos tudo o que queremos fazer e esperamos encontrar um tempo para fazer essas tarefas. O problema é que esse método tem alguns grandes defeitos. Se você já tentou manter uma lista como essa, sabe que muitas tarefas tendem a ser empurradas de um dia ao próximo e ao próximo... *ad infinitum*. Em vez de começar com *o que* queremos fazer, é melhor começar com *por que* queremos fazer uma tarefa. E, para isso, precisamos começar definindo os nossos valores.

De acordo com Russ Harris, autor de *Liberte-se: Evitando as Armadilhas da Procura da Felicidade*, os valores são "quem queremos ser, o que queremos representar e como queremos nos relacionar com o mundo".[5] Em outras palavras, nossos valores são atributos da pessoa que queremos ser. Por exemplo, eles podem incluir ser uma pessoa honesta, ser um bom pai ou ser um membro valioso de uma equipe. Podemos nunca conseguir concretizar nossos valores do mesmo modo como terminar uma pintura pode não nos levar a ser mais criativos. Um valor é como uma estrela-guia; é o ponto fixo que usamos para navegar pelas nossas decisões ao longo da vida.

Embora alguns valores envolvam todas as facetas da vida, a maioria é específica a uma área. Por exemplo, ser um membro valioso de uma equipe é algo que as pessoas geralmente fazem no trabalho. Ser um bom pai ou um bom marido envolve o contexto familiar. Buscar conhecimento ou condicionamento físico é algo que fazemos por nós mesmos.

O problema é que nunca planejamos o tempo necessário para trabalhar nos nossos valores. Sem querer, passamos tempo demais em uma área da nossa vida à custa das outras. Trabalhamos demais e acabamos deixando em segundo plano nossa família e amigos. Se nos fadigamos cuidando dos nossos filhos, acabamos negligenciando nosso corpo, nossa mente e nossas amizades e deixamos de ser as pessoas que ambicionamos ser. Se negligenciamos sistematicamente nossos valores, tornamo-nos pessoas das quais não nos orgulhamos, e nossa vida fica desequilibrada e pobre. Ironicamente, esse sentimento odioso nos torna mais propensos a buscar distrações para escapar da nossa insatisfação e acabamos nunca resolvendo o problema.

Não importa quais sejam os nossos valores, é de muita valia usar a técnica milenar de categorizá-los de acordo com as diferentes áreas da vida. O filósofo estoico Hiérocles demonstrou a natureza interconectada da nossa vida usando círculos concêntricos para ilustrar um equilíbrio hierárquico de deveres.[6] Ele colocou a mente e o corpo humanos no centro, seguidos da família nuclear no próximo círculo, depois a família estendida, depois os membros da nossa tribo, depois os moradores da nossa vila ou cidade, depois os conterrâneos e cidadãos do nosso país, terminando com toda a humanidade no círculo mais externo.

Inspirado nesse exemplo, elaborei uma maneira de simplificar e visualizar as três áreas da vida nas quais passamos nosso tempo:

ÁREAS DA VIDA

TRABALHO

RELACIONAMENTOS

VOCÊ

As três áreas da sua vida: você, seus relacionamentos e seu trabalho.

Essas três áreas mostram onde passamos nosso tempo. Elas nos ajudam a planejar nossos dias para que possamos nos tornar um reflexo autêntico da pessoa que ambicionamos ser.

Precisamos reservar um tempo na nossa agenda para colocar nossos valores em prática em cada uma dessas áreas. Apenas se reservarmos um tempo específico na nossa agenda para a tração (as ações que nos aproximam do que queremos na vida) é que poderemos deixar as distrações de lado. Sem planejamento, é impossível saber a diferença entre tração e distração.

Você só tem como identificar uma distração se souber do que você está se distraindo.

Sei que você pode não estar curtindo muito a ideia de manter uma programação porque ninguém precisa de mais aborrecimentos na vida, mas, por incrível que pareça, nosso desempenho melhora se formos obrigados a isso.[7] Isso acontece porque as restrições nos dão uma estrutura, enquanto uma agenda em branco e uma lista de tarefas interminável nos deixam tantas opções que isso acaba se tornando uma tortura.

A melhor maneira de abrir um tempo para a tração é usar a técnica chamada *"timeboxing"*, que, em tradução literal, seria algo como "encaixotamento do tempo". O *timeboxing* usa o que os psicólogos chamam de "implementação da intenção"[8], que não passa de um jeito bonito de dizer "decidir *o que* você vai fazer e *quando* vai fazer". Essa técnica pode ser aplicada para alocar um tempo para a tração em cada área da sua vida.

A ideia é eliminar todo espaço em branco da sua agenda, para você saber com clareza exatamente como pretende usar seu tempo todos os dias.

Não faz muita diferença *o que* você faz com seu tempo. Na verdade, o sucesso só depende de você fazer o que planejou. Não tem problema algum ver um filme, dar uma olhada nas redes sociais, divagar ou tirar um cochilo, desde que seja o que você planejou fazer. Por outro lado, checar o seu e-mail do trabalho, uma tarefa aparentemente produtiva, será uma distração se você fizer isso quando pretendia passar mais tempo com a família ou trabalhar em uma apresentação. A programação rigorosa do *timeboxing* é o único jeito de saber se você está distraído. Se você não estiver passando seu tempo fazendo o que planejou, isso quer dizer que você saiu do rumo.

Para criar uma programação semanal rigorosa usando o *timeboxing*, você precisa decidir quanto tempo quer passar em cada área da sua vida. Quanto tempo você quer passar consigo mesmo, nos seus relacionamentos importantes e no seu trabalho? Note que a área do "trabalho" não se restringe ao trabalho remunerado. Ela pode incluir trabalho voluntário, ativismo e projetos paralelos.

Quanto tempo em cada área lhe permitiria viver de acordo com seus valores? Comece criando uma agenda semanal ideal. Você encontrará um modelo em branco no apêndice e uma ferramenta on-line gratuita (em inglês) em NirAndFar.com/Indistractable.

Em seguida, reserve quinze minutos da sua agenda toda semana para ponderar e ajustar sua programação respondendo às duas perguntas a seguir:

Pergunta 1 (ponderar): "Em quais momentos da minha programação eu fiz o que disse que faria e em quais momentos eu me distraí?" Responder a essa pergunta requer repassar a semana anterior. Recomendo usar a "Tabela de monitoramento de distrações" que incluí no fim deste livro para anotar quando e por que você se distraiu, seguindo a recomendação de Bricker de anotar seus gatilhos internos, como vimos no Capítulo 6.

Caso tenha se deixado distrair por um gatilho interno, quais estratégias você pretende usar para evitar a distração da próxima vez? Ou foi um gatilho externo, como um telefonema ou um colega tagarela, que o levou a parar ou deixar de fazer o que se propôs a fazer? (Abordaremos táticas para controlar os gatilhos externos na Parte 3.) Ou foi um problema de planejamento que o levou a ceder à distração? Nesse caso, você pode repassar a sua "Tabela de monitoramento de distrações" para ajudar a responder à próxima pergunta.

Pergunta 2 (ajustar): "Há alguma mudança que posso fazer na minha agenda para ter o tempo necessário para viver de acordo com os meus valores?" Você pode ter se deparado com um evento inesperado ou o seu planejamento deixou a desejar. A programação rigorosa do *timeboxing* nos permite pensar em cada semana como se fosse um miniexperimento. O objetivo é descobrir onde a sua programação deixou a desejar na semana anterior para facilitar segui-la nesta semana. A ideia é comprometer-se com uma prática que melhorará a sua programação com o tempo, ajudando-o a ver a diferença entre tração e distração a cada momento do seu dia.

Quando a nossa vida muda, nossa programação também pode mudar. Todavia, uma vez definido nosso agendamento, a ideia é segui-lo à risca até decidirmos melhorá-lo na próxima rodada. Abordar o exercício de montar uma programação com a curiosidade de um cientista nos deixa livres para melhorar a cada semana.

Nesta seção, você aprenderá como cavar um tempo na sua agenda para a tração nas três áreas da sua vida. Também veremos como alinhar as suas expectativas em relação ao seu tempo no trabalho com as expectativas de outras pessoas, como colegas e chefes.

Antes de prosseguir, pense em como é a sua agenda hoje. Não me refiro às coisas que você *fez*, mas às coisas que você se comprometeu por escrito a fazer. A sua agenda está cheia de planos meticulosamente definidos usando a técnica do *timeboxing* ou está praticamente vazia? A sua programação reflete quem você é? Você está deixando que as pessoas roubem seu tempo ou está protegendo o seu tempo como o recurso limitado e precioso que é?

Ao traduzir nossos valores em termos tempo, garantimos que teremos tempo para a tração. Se não nos planejarmos, não teremos o direito de culpar ninguém nem nos surpreender quando tudo se transformar em distrações. Ser indistraível requer em grande parte garantir um tempo para a tração dia após dia e eliminar a distração que o impede de viver a vida que você quer, uma vida que envolve cuidar de si mesmo, de seus relacionamentos e de seu trabalho.

▌ LEMBRE-SE DISSO

- **Você só tem como identificar uma distração se souber do que você está se distraindo.** É só com o planejamento que você tem como saber a diferença entre tração e distração.

- **A sua agenda reflete os seus valores?** Para ser a pessoa que você quer ser, você tem de arranjar tempo para viver de acordo com os seus valores.

- **Use a técnica do *timeboxing* para programar seu dia.** Use as três áreas da sua vida (você, seus relacionamentos e seu trabalho) como uma referência para planejar seu tempo.

- **Pondere e ajuste.** Reveja a sua agenda de tempos em tempos, mas não deixe de fazer o que planejou fazer.

Capítulo 10

Controle o que Entra, não o que Sai

ÁREAS DA VIDA

TRABALHO

RELACIONAMENTOS

VOCÊ

Nessa representação visual da sua vida, você ocupa o centro das três áreas. Como tudo o que é importante na sua vida, você requer manutenção e cuidados, o que leva tempo. Da mesma forma como você não deixaria de comparecer a uma reunião com os seu chefe, você jamais deve deixar de cumprir os compromissos que fez consigo mesmo. Afinal, existe alguém mais importante do que você para ajudá-lo a viver a vida que quer?

Exercitar-se, dormir bem, comer bem e ler um livro ou ouvir um audiobook são todas maneiras de investir em si mesmo. Algumas pessoas valorizam o *mindfulness*, a espiritualidade ou a reflexão e podem querer reservar um tempo para orar ou meditar. Outras gostam de dominar alguma atividade e querem um tempo sozinhas para praticar um hobby.

Cuidar de si mesmo ocupa o centro das três áreas porque as outras duas dependem da sua saúde e bem-estar. Se você não cuidar de si mesmo, seus relacionamentos sairão prejudicados. E você não terá o melhor desempenho no trabalho se não reservar o tempo necessário para manter sua saúde física e psicológica.

Comece priorizando e programando o tempo na área "você". No nível mais básico, precisamos de um tempo na nossa agenda para dormir, nos banhar e comer bem. Pode parecer simples satisfazer essas necessidades, mas devo admitir que, antes de aprender a aplicar o *timeboxing* para organizar meus dias, eu costumava passar até tarde da noite trabalhando e depois devorava um cheeseburger duplo acompanhado de batatas fritas e um milk-shake de chocolate... nada a ver com o estilo de vida saudável que eu gostaria de ter.

Ao reservar um tempo para viver de acordo com os seus valores na área "você", você terá tempo para ponderar a sua agenda e vislumbrar as qualidades da pessoa que deseja ser. Ao fortalecer seu corpo e sua mente, será muito mais fácil cumprir suas resoluções.

Você pode estar pensando: "É tudo muito lindo agendar um tempo para mim mesmo, mas o que acontece quando não consigo fazer o que me propus a fazer mesmo depois de tirar um tempo para isso?"

Alguns anos atrás, comecei a acordar às 3 horas da manhã. Eu tinha lido muitos artigos falando da importância de descansar e sabia que os resultados dos estudos eram incontentáveis: precisamos dormir bem.[1] Eu ficava virando de um lado para o outro na cama, sem conseguir pregar os olhos, frustrado com a minha incapacidade de realizar meu plano de ter sete a oito horas de sono por noite. Por que eu não estava conseguindo dormir? Afinal, eu estava seguindo a minha agenda à risca. O problema é que eu não tinha como controlar o sono. Eu não tinha como fazer nada se meu corpo escolhesse me acordar de madrugada. Porém, eu tinha como controlar o que fazer diante dessa situação.

No começo, eu fiz o que muita gente costuma fazer quando as coisas não saem como o planejado: eu surtei. Eu ficava deitado na cama, remoendo-me por não conseguir dormir, preparando-me psicologicamente para passar a manhã inteira morrendo de sono e pensando em tudo o que eu tinha para fazer no dia seguinte. Eu ficava ruminando essas coisas até não conseguir pensar em mais nada. Pode parecer uma piada, mas o que me impedia de dormir era a minha preocupação com o fato de eu não estar conseguindo dormir, uma causa muito comum de insônia.[2]

Quando me dei conta de que essa ruminação toda não passava de uma distração, comecei a lidar com o problema de um jeito mais saudável. Quando acordava no meio da noite, eu repetia um mantra simples: "O corpo se encarrega de obter o que o corpo precisa". Com esse pequeno ajuste, o sono deixou de ser um requisito indispensável e eu parei de me pressionar tanto para dormir. Meu trabalho era dar ao meu corpo o tempo suficiente e um lugar adequado para repousar e o que acontecia depois estava fora do meu controle. Acordar no meio da noite passou a ser uma chance de ler no Kindle e parei de me preocupar em me forçar a voltar a dormir.[4*] Eu me tranquilizava pensando que, se eu não estava cansado para pegar no sono naquele momento, era porque meu corpo já tinha descansado o suficiente. Com isso, eu deixava a minha mente relaxar, livre de preocupações.

Você já deve ter imaginado aonde eu quero chegar com essa história, não é? Quando parei de ruminar, minhas noites de insônia também pararam. Despreocupado, passei a cair no sono em questão de minutos quando acordava de madrugada.

Essa história inclui uma importante lição que vai além de dormir o suficiente. A conclusão é que, no que diz respeito ao nosso tempo, precisamos parar de nos preocupar com os resultados (*outputs*) que não temos como controlar e, em vez disso, focar os fatores dos quais temos controle (*inputs*). Em outras palavras, precisamos controlar o que entra, não o que sai. Não temos como garantir os resultados do tempo que passamos fazendo alguma coisa.

A única coisa que podemos controlar é o tempo que dedicamos a uma tarefa.

Não tenho como pegar no sono quando quero, nem garantir que vou ter uma ideia brilhante para o meu próximo livro assim que eu ligar o computador, mas uma coisa é certa: eu não vou fazer o que quero fazer se não estiver no lugar certo na hora certa, seja na cama quando eu quero dormir ou ao computador quando eu quero trabalhar. Não comparecer é uma garantia de fracasso.

[4*] O leitor de e-books Kindle é menos prejudicial ao sono do que outros dispositivos. Anne-Marie Chang, Daniel Aeschbach, Jeanne F. Duffy e Charles A. Czeisler, "Evening Use of Light-Emitting E-Readers Negatively Affects Sleep, Circadian Timing, and Next-Morning Alertness", Proceedings of the National Academy of Sciences 112, n. 4 (27 jan. 2015): 1232, https://doi.org/10.1073/pnas.1418490112.

Tendemos a achar que podemos resolver nossos problemas com as distrações, tentando fazer mais com cada minuto do nosso dia, mas o que costuma acontecer é que não nos damos tempo para fazer o que nos propomos a fazer. Aplicando a técnica da programação rigorosa do *timeboxing* à área "você" da nossa vida e seguindo esse planejamento à risca, cumprimos as promessas que fazemos a nós mesmos.

■ LEMBRE-SE DISSO

- **Comece programando um tempo para si mesmo.** Você ocupa o centro das três áreas da sua vida. Se não tirar um tempo para você, as outras duas áreas sairão prejudicadas.

- **Siga a sua programação à risca.** Nem sempre será possível controlar os *resultados* do tempo passado em alguma tarefa, mas você tem como controlar *quanto tempo* dedica à tarefa.

- **O que entra é mais garantido do que o que sai.** Para ter a vida que quer, a única coisa que você pode garantir é alocar o tempo necessário para viver de acordo com os seus valores.

Capítulo 11

Inclua os Relacionamentos Importantes na sua Agenda

ÁREAS DA VIDA

TRABALHO

RELACIONAMENTOS

VOCÊ

Nossa família e nossos amigos nos ajudam a viver em alinhamento com os nossos valores no que diz respeito à conexão, lealdade e responsabilidade. Eles precisam de você e você precisa deles, e fica claro que eles são mais importantes do que meros "beneficiários residuais", um termo que ouvi pela primeira vez em um curso introdutório de economia. No mundo dos negócios, um beneficiário residual é o *camarada* que fica com o que sobra quando uma empresa é liquidada (em geral, não muito). Nossa família e amigos merecem mais do que as migalhas que sobram no nosso dia a dia, mas, se não planejarmos nosso tempo com cuidado, eles acabam se transformando em meros beneficiários residuais da nossa vida.

Um dos meus valores mais importantes é ser um pai atencioso, envolvido e divertido. Apesar do meu desejo de viver de acordo com esse valor, ser um pai totalmente presente nem sempre é "conveniente". Um e-mail de um cliente me avisa que meu site saiu do ar; o encanador me manda uma mensagem dizendo que os ônibus estão em greve e que ele precisará reagendar a visita para outro dia; meu banco me notifica de uma cobrança inesperada no meu cartão. Enquanto isso, minha filha está lá, esperando a minha vez no nosso jogo de cartas.

Para combater esse problema, eu faço questão de agendar um tempo com a minha filha toda semana. Como faço com o tempo marcado para uma reunião de trabalho ou para dedicar um tempo a mim mesmo, eu bloqueio um tempo na minha agenda para passar com ela. Para garantir que sempre teremos alguma coisa divertida para fazer, passamos uma tarde anotando em pedacinhos de papel mais de cem coisas para fazermos juntos. Dobramos os papeizinhos e os colocamos no nosso "pote da diversão". Agora, toda sexta-feira à tarde nós pegamos uma atividade do pote para decidir o que fazer. Podemos ir a um museu, brincar no parque ou ir a uma sorveteria especial do outro lado da cidade. Esse tempo é reservado só para nós.

Verdade seja dita, a ideia do pote de diversão nem sempre funciona tão bem quanto eu gostaria. Nem sempre nos animamos a ir ao parquinho em um dia congelante de inverno em Nova York. Em dias como esses, podemos decidir ver alguns filmes do *Harry Potter* tomando chocolate quente. Porém, o que importa é a minha decisão de priorizar minha agenda semanal para viver de acordo com os meus valores. Esse tempo reservado na minha agenda me possibilita ser o pai que eu quero ser.

Minha esposa, Julie, e eu também temos um tempo reservado para nós. Duas vezes por mês, planejamos alguma atividade especial. Podemos ir ao teatro ou a um restaurante exótico. Contudo, em geral passamos horas caminhando e conversando. Não importa o que decidimos fazer, sabemos que esse tempo está gravado a ferro e fogo na nossa agenda e não será comprometido por qualquer outra atividade. Se não reservássemos esse tempo na nossa agenda, seria muito fácil usá-lo para outras tarefas, como ir correndo ao supermercado para fazer uma compra de última hora ou limpar a casa. Meu tempo agendando com Julie me possibilita viver de acordo com o valor que dou ao meu relacionamento com ela. Não consigo me abrir com ninguém do jeito que me abro com ela, mas isso só pode acontecer se arranjarmos um tempo para isso.

A igualdade é outro valor importante no meu casamento. Sempre achei que eu vivia de acordo com esse valor. Porém, eu estava errado. Antes de adotarmos a técnica do *timeboxing*, nós vivíamos brigando sobre algumas tarefas domésticas que acabavam sem ser feitas. Vários estudos demonstram que, em casais heterossexuais, os maridos não fazem uma parcela justa do trabalho doméstico e não me orgulho de admitir que eu era um deles.[1] Darcy Lockman, uma psicóloga de Nova York, escreveu no *Washington Post*: "Mulheres que trabalham fora casadas com homens que trabalham fora se encarregam de 65% das responsabilidades de cuidar dos filhos, uma proporção que não muda desde a virada do século".[2]

Todavia, como muitos homens que Lockman entrevistou em sua pesquisa, eu não me dava conta de todas as tarefas que minha esposa fazia. Como uma mãe disse a Lockman:

> *Enquanto eu corro de um lado ao outro feito uma louca arrumando a bagunça das crianças espalhada pela casa e lavando as roupas, ele fica ao celular ou ao computador. Ele toma o café da manhã vendo o celular enquanto eu preparo o lanche das crianças, arrumo as roupas da nossa filha e ajudo nosso filho a fazer a lição de casa. Ele só fica sentado lá. Eu sei que não é de propósito. Ele nem se dá conta do que está acontecendo. Quando eu tento falar a respeito, ele fica na defensiva.*

Foi como se Lockman estivesse entrevistando a minha esposa. Todavia, se a minha esposa queria ajuda, por que ela simplesmente não pedia? Só depois entendi que pensar em como eu poderia ajudar já era, por si só, uma tarefa. Julie não tinha como me dizer como eu podia ajudar porque sua cabeça já estava ocupada com um amontoado de coisas. Ela queria que eu tomasse a iniciativa, que eu simplesmente começasse a ajudar. Porém, eu não sabia como. Eu não fazia ideia, então eu ficava lá, meio perdido, ou saía às escondidas para fazer alguma outra coisa. Esse roteiro não era raro, acabando em jantares tarde da noite, ressentimento e, às vezes, até lágrimas.

Em um dos nossos dias agendados, fizemos uma lista de todas as tarefas domésticas que cada um fazia, sem deixar nada de fora. Comparar a lista de Julie (aparentemente interminável) com a minha me abriu os olhos para o fato de eu estar longe de colocar em prática meu valor de igualdade no casamento. Concordamos em dividir as tarefas domésticas e, o mais importante, usamos o *timeboxing* para incluir as tarefas na nossa agenda e garantir que elas seriam feitas.

Esse empenho deliberado para assegurar uma divisão mais justa das tarefas domésticas me possibilitou viver de acordo com o meu valor de igualdade no casamento, o que também aumentou as minhas chances de ter um relacionamento longo e feliz. A pesquisa de Lockman confirma esse benefício: "Um número crescente de estudos clínicos e familiares demonstra que a igualdade entre os cônjuges promove o sucesso conjugal e que a desigualdade o prejudica".

Não tenho dúvida de que agendar um tempo para a minha família e garantir que minha esposa e minha filha não fiquem só com as migalhas do meu tempo melhorou enormemente o meu relacionamento com a minha família.

> **As pessoas que mais amamos não devem se contentar em ficar com os restos do nosso tempo. Todos saem ganhando quando reservamos um tempo na nossa agenda para viver de acordo com os nossos valores e fazer a nossa parte.**

A área dos relacionamentos não se restringe à família. Deixar de programar um tempo para os relacionamentos importantes da nossa vida faz mais mal do que a maioria das pessoas imagina. Estudos recentes mostraram que a insuficiência de interações sociais não só leva à solidão como também está associada a uma série de problemas de saúde. Se você não tiver bons amigos, pode estar prejudicando a sua saúde.

Uma das evidências mais robustas de que as amizades afetam a longevidade é o Estudo da Harvard sobre o Desenvolvimento Adulto, que está em curso até hoje.[3] Desde 1938, os pesquisadores vêm monitorando a saúde física e os hábitos sociais de 724 homens. Robert Waldinger, o atual diretor do estudo, disse em uma palestra do TEDx: "A lição mais clara desse estudo de 75 anos é: somos mais felizes e saudáveis se tivermos bons relacionamentos. Ponto final". As pessoas socialmente desconectadas são, de acordo com Waldinger, "menos felizes; começam a ter problemas de saúde já na meia-idade; seu funcionamento cerebral começa a decair antes; [e] vivem menos do que as pessoas não solitárias".[4] Waldinger alerta: "Não é só uma questão do número de amigos... O que importa é a qualidade dos seus relacionamentos".

O que leva a um relacionamento de qualidade? William Rawlins, professor de comunicações interpessoais da Universidade de Ohio dedicado a estudar a interação das pessoas ao longo da vida, disse à revista *Atlantic* que as boas amizades envolvem três fatores: "Poder se abrir com a pessoa, poder contar com a pessoa e poder desfrutar da companhia da pessoa".[5] É mais fácil fazer amizades com essas características quando somos jovens e, com o passar do tempo, as amizades vão ficando mais difíceis de manter. Nós nos formamos e seguimos por caminhos separados, entrando em profissões diferentes e indo morar a quilômetros de distância dos nossos melhores amigos.

De repente, começamos a priorizar as obrigações e as ambições profissionais a encontrar os amigos para bater papo e tomar uma cerveja. Se tivermos filhos, as baladas até altas horas com os amigos dão lugar a noites exaustas no sofá. O problema é que, quanto menos tempo investimos nas pessoas, mais fácil fica viver sem elas, até que um dia fica meio esquisito voltar a entrar em contato.

É assim que as amizades morrem: elas morrem de fome.

Porém, pesquisas revelam que, quando deixamos nossas amizades passando fome, também estamos desnutrindo nosso corpo e nossa mente. Se o alimento das amizades é passar um tempo juntos, como podemos garantir que todos sejam alimentados?

Apesar de toda a correria do nosso dia a dia para dar conta de tudo, meus amigos e eu criamos uma rotina social que garante que nos encontremos regularmente. Apelidamos esses encontros de *"kibutz"*, que em hebraico significa "reunião". Nos nossos encontros, quatro casais, incluindo minha esposa e eu, encontram-se a cada duas semanas para conversar sobre algum tema durante um piquenique. O tema pode ser uma questão instigante, como "O que seus pais lhe ensinaram que o leva a ser grato até hoje?", até questões mais práticas, como "Devemos forçar nossos filhos a aprender coisas que eles não querem, como fazer aulas de piano?"

Estabelecer um tema para o encontro tem duas vantagens. Para começar, leva-nos a ir além de bate-papos genéricos, sobre esportes e o clima, dando-nos uma chance de nos abrir sobre questões que realmente importam. Em segundo lugar, esse esquema impede a divisão de gêneros que não raro acontece quando os casais se reúnem, com os homens em um canto e as mulheres em outro. Todos nós conversamos juntos sobre o tema do dia.

O fator mais importante do encontro é sua regularidade. Faça chuva ou faça sol, é garantido que faremos o *kibutz* a cada duas semanas, sempre no mesmo horário e no mesmo lugar. Não precisamos perder tempo com a logística do encontro. Para simplificar ainda mais as coisas, cada casal leva a própria comida e ninguém precisa se preocupar com os preparativos ou a limpeza. Se um casal não conseguir comparecer, tudo bem. Os outros casais fazem o *kibutz* como o planejado.

O encontro dura umas duas horas, e eu sempre saio com novas ideias e insights. E, o mais importante, o ritual nos aproxima. Considerando a importância das amizades, é indispensável agendar os encontros. Reservar o tempo para o *kibutz* garante que o encontro aconteça.

Não importa o tipo de atividade que escolhemos para estreitar nossas amizades, é imprescindível reservar um horário na agenda para isso. Além de ser um prazer, o tempo que passamos com os amigos também é um investimento na nossa saúde e no nosso bem-estar.

⚑ LEMBRE-SE DISSO

- **As pessoas que você ama merecem mais do que as migalhas do seu tempo.** Se uma pessoa for importante na sua vida, não deixe de reservar um horário regular para ela na sua agenda.

- **Não se limite a agendar dias especiais com o seu marido ou mulher.** Inclua as tarefas domésticas na sua agenda para garantir uma divisão justa.

- **Se você não tiver bons amigos, pode estar prejudicando a sua saúde.** Cultive seus relacionamentos importantes, reservando um tempo na sua agenda para encontros regulares.

Capítulo 12

Alinhe a sua Agenda com os Interesses Profissionais das Pessoas no Trabalho

ÁREAS DA VIDA

- TRABALHO
- RELACIONAMENTOS
- VOCÊ

Ao contrário das outras áreas da vida, ninguém precisa ser lembrado da necessidade de reservar um tempo para o trabalho. É bem provável que você não tenha muita escolha nessa área. Considerando que o trabalho costuma ocupar uma parcela maior do tempo que passamos acordados do que as outras áreas da nossa vida, é ainda mais importante garantir que o tempo no trabalho seja alocado de acordo com os nossos valores.

O trabalho pode ajudar as pessoas a viver de acordo com valores como colaborar, empenhar-se e persistir. Também nos possibilita passar um tempo em atividades que nos dão um senso de propósito ao beneficiar alguém ou alguma coisa, como nossos clientes ou alguma causa importante. O problema é que não é raro nos darmos conta de que o nosso dia a dia no trabalho é um verdadeiro caos, repleto de interrupções, reuniões inúteis e um fluxo interminável de e-mails.

Por sorte, não precisa necessariamente ser assim. Podemos fazer mais e viver melhor esclarecendo os nossos valores e as nossas expectativas para as pessoas no trabalho. Esclarecer como passamos nosso tempo no trabalho promove e reforça a principal qualidade dos bons relacionamentos no trabalho: a confiança.

Toda empresa tem suas políticas. Todavia, quando se trata de como os funcionários administram a carga de trabalho, muitos chefes não têm muita ideia de como as pessoas passam o tempo. E, pior ainda, nem os próprios funcionários sabem direito como devem alocar o tempo, dentro e fora do trabalho. A empresa espera que os funcionários trabalhem depois do expediente? Espera-se que eles participem de *happy hours* ou outros eventos de "diversão obrigatória"? Chefes e clientes esperam que os funcionários apaguem incêndios de última hora? Os funcionários esperam trabalhar até tarde da noite quando os executivos da matriz decidem fazer uma visita à filial?

Essas perguntas são importantes por afetar diretamente a nossa agenda e, em consequência, o tempo que sobra para as outras áreas da nossa vida.

Um levantamento recente constatou que 83% dos profissionais checam o e-mail profissional depois do expediente.[1] O mesmo estudo observa que dois terços dos respondentes levam dispositivos do trabalho, como laptops ou smartphones, quando saem de férias. E cerca da metade dos respondentes disse que mandou e-mails de trabalho durante refeições com a família ou amigos.

Fazer horas extras ou ser pressionado a responder mensagens de trabalho depois do expediente implica menos tempo com nossa família e amigos ou para fazer algo por nós mesmos. Se essas demandas se tornarem excessivas, a confiança e a lealdade podem acabar afetadas, juntamente com a saúde e os relacionamentos dos funcionários. O problema é que normalmente só ficamos sabendo das respostas a essas perguntas quando é tarde demais.

E os chefes também precisam lidar com muitas dúvidas. Quando tarefas e projetos levam mais tempo do que o planejado e as expectativas não são atingidas, os chefes ficam se perguntando por que isso aconteceu. Será que o funcionário é incapaz? Será que ele não está motivado? Será que ele está procurando outro emprego? Como ele passa seu tempo no trabalho? Diante do desempenho insuficiente dos funcionários, os chefes podem exigir que eles passem mais tempo e se empenhem mais no trabalho. Porém, essa reação imediata obriga os funcionários a dar mais à empresa do que planejavam, afetando negativamente seus relacionamentos no trabalho e levando-os a resistir de maneiras sutis.

Como os funcionários podem resistir? Sem nos dar conta disso, podemos acabar nos ocupando das tarefas menos prioritárias, fazendo corpo mole, batendo papo com os colegas e sendo menos produtivos.

Ou podemos (talvez sem perceber) sabotar a empresa nos ocupando do "pseudotrabalho", tarefas que *parecem* ser trabalho, mas que não estão alinhadas com as prioridades da empresa. (Por exemplo, passar mais tempo do que o necessário trabalhando em projetos da nossa preferência, fazendo politicagem na empresa, mandando e-mails desnecessários ou fazendo reuniões inúteis.) Esse tipo de resistência parece aumentar quando as pessoas são forçadas a passar mais tempo trabalhando. Com efeito, estudos descobriram que trabalhadores que passam mais de 55 horas por semana trabalhando apresentaram uma produtividade reduzida. Esse problema é agravado, pois essas pessoas acabam cometendo mais erros e impondo um trabalho inútil aos colegas, resultando em mais tempo gasto para fazer menos.[2]

Qual é a solução para essa loucura?

Aplicar a programação rigorosa do timeboxing para definir a agenda das pessoas no trabalho ajuda a esclarecer o pacto de confiança entre chefes e funcionários.

Ao rever periodicamente a agenda, os dois lados podem decidir se o tempo do funcionário está sendo bem aplicado e ajudá-lo a alocar o tempo a tarefas mais importantes.

April, uma executiva de vendas de espaço publicitário de uma grande empresa de tecnologia de Manhattan, estava tendo dificuldades para organizar seu tempo no trabalho. Ela queria ser promovida e se via cada vez mais pressionada para vender mais e fazer mais. Em consequência, ela estava ficando irritadiça e amarga no escritório. Essa pressão toda acabou contagiando a agenda de April na forma de mais reuniões, mais conversas não planejadas e mais e-mails. Essas tarefas adicionais acabaram tomando o tempo que ela precisaria passar concentrada em suas prioridades: atender bem os clientes, fechar mais vendas e apresentar resultados melhores.

Quando fui conversar com April em seu escritório, ela parecia estressadíssima. Ela tinha só dois meses para atingir mais de um terço de sua meta de vendas anual de US$ 15 milhões e dava para ver que ela estava distraída. April acha que não conseguiria atingir a meta e concluiu que *ela* é que era o problema, que ela simplesmente não estava se empenhando o suficiente e que, portanto, tinha de melhorar seu desempenho a qualquer custo. E, na cabeça dela, *melhorar* significava passar ainda mais tempo trabalhando.

Esse esforço todo para produzir mais estava fazendo da vida de April um inferno e ela passou a negligenciar as outras áreas de sua vida. O problema não era a produtividade em si. April era uma mulher produtiva, capaz de fazer muito em pouco tempo. O problema é que ela não tinha uma agenda organizada e, como se isso não bastasse, achava que ela é que era o problema e não seu método de administração de tempo. "Eu sou lenta demais", ela me disse um dia em um almoço. Porém, não havia nada de errado com April. Ela não era lenta. Ela só precisava das ferramentas de produtividade certas.

Apesar de a administração do tempo não ser um talento natural para ela, April dividiu seu dia de trabalho para dar conta das tarefas mais importantes que ela queria realizar. Ela começou arranjando um tempo para o trabalho focado, sabendo que conseguiria elaborar propostas para novos clientes com mais rapidez e qualidade se pudesse trabalhar sem interrupções. As distrações a desaceleravam e dificultavam voltar a se focar no trabalho. Em seguida, ela reservou um tempo para telefonemas e reuniões com os clientes, seguido de um tempo à tarde para responder e-mails e mensagens de texto. Sugeri que April mostrasse sua agenda de trabalho a seu chefe, David.

Ela ficou surpresa quando David disse que dava todo o apoio à ideia de programar com mais rigor seu tempo no trabalho. "Ele sabia que eu estava me matando no trabalho", ela me contou. "Quando propus um agendamento semanal, ele chegou a parecer aliviado. Ele me disse que seria bom saber quando poderia me ligar ou mandar uma mensagem, sem ter de ficar se perguntando se eu não estaria com a minha família."

Quando ela conversou com David, percebeu que muitos compromissos que estavam sobrecarregando sua agenda na verdade não eram tão importantes para ele quanto o tempo que ela poderia passar fechando vendas. Graças a esse novo alinhamento, David concordou que ela não precisava participar de tantas reuniões nem orientar tantas pessoas e lhe garantiu que isso não prejudicaria seu avanço na empresa desde que ela alocasse o tempo necessário para sua tarefa mais importante: aumentar a receita da empresa.

Para ajudá-los a manter o alinhamento, April e David decidiram ter uma rápida conversa de 15 minutos toda segunda-feira às 11h da manhã. Repassar a programação da semana garantiria aos dois que ela alocaria bem o tempo e lhes possibilitaria ajustar a agenda caso necessário. Depois da conversa, ela viu que poderia ter mais controle sobre seu dia de trabalho e reduzir o tempo que passava grudada ao celular à noite, um tempo que acabava sendo retirado de sua vida pessoal. April adorou o resultado: uma visão detalhada de sua semana que respeitava seus valores, reduzia as distrações e, ainda por cima, lhe dava mais tempo para fazer o que ela realmente queria.

Cada um tem uma história diferente. Você não vai alocar seu tempo exatamente como April fez, mas é importantíssimo garantir o alinhamento da sua programação, seja na família ou no trabalho. É indispensável alinhar periodicamente as expectativas sobre como você passa seu tempo. Se você tiver uma agenda semanal, revise-a e valide-a toda semana, mas, se a sua agenda mudar diariamente, uma rápida conversa diária com o seu chefe com certeza vai beneficiar os dois. Se você tiver mais de um chefe, vai ser interessante aplicar o *timeboxing* à sua agenda para alinhar o seu tempo de acordo com as expectativas deles. Com uma agenda clara, todos saberão o que está sendo feito.

Lembre que o Modelo Indistraível é composto de quatro etapas. Dominar os gatilhos internos é o primeiro passo e arranjar um tempo para a tração é o segundo, mas, como veremos, isso é só o começo.

Na Parte 5, investigaremos a cultura das empresas e veremos por que as distrações constantes costumam ser um sinal de disfunção organizacional. Por enquanto, é importante levar a sério a técnica simples, porém extremamente eficaz, do alinhamento da sua agenda aplicando a programação rigorosa do *timeboxing*.

Planejar o nosso tempo (seja no trabalho, em casa ou o tempo que passamos sozinhos) e aplicar o *timeboxing* à nossa agenda são medidas indispensáveis para nos tornar indistraíveis. Ao decidir como passaremos nosso tempo e ao alinhar nossa programação com as pessoas mais importantes na nossa vida, garantimos que as coisas importantes serão feitas e que as coisas que não importam serão ignoradas. Essa abordagem nos livra das atividades que não agregam nada à nossa vida e nos devolve um tempo que não podemos nos dar ao luxo de desperdiçar.

E depois de recuperar esse tempo, como podemos aproveitá-lo ao máximo? Vamos analisar essa questão na próxima seção.

▌ LEMBRE-SE DISSO

- **É imprescindível alinhar sua agenda com as expectativas dos colegas e chefes no trabalho para conseguir um tempo para a tração.** Se não souberem como você passa o seu tempo, colegas e chefes têm mais chances de distraí-lo com tarefas desnecessárias.

- **Ajuste a sua agenda de acordo com as circunstâncias.** Se a sua agenda mudar de um dia para o outro, tenha uma conversa rápida com seu chefe ou colegas todos os dias para alinhar e validar a sua programação a eles. Todavia, para a maioria das pessoas, basta fazer um alinhamento semanal.

Parte 3

Defenda-se do *Hacking* dos seus Gatilhos Externos

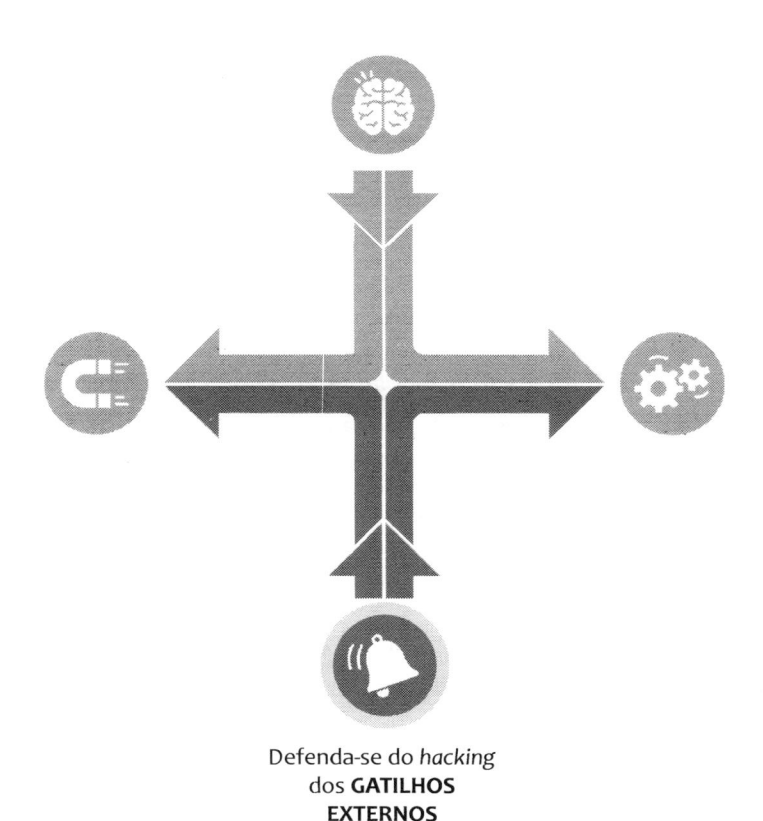

Defenda-se do *hacking*
dos **GATILHOS
EXTERNOS**

Capítulo 13

Faça a Pergunta Crucial

O gatilho está trabalhando para mim ou sou eu que estou trabalhando para o gatilho?

Wendy, uma consultora de marketing freelancer, sabia exatamente como precisaria passar a próxima hora. De acordo com sua agenda, ela precisaria estar ao computador às 9 da manhã para elaborar propostas para novos clientes, a tarefa mais importante do dia. Ela ligou o laptop e abriu o arquivo de uma proposta, empolgada para conquistar novos clientes e trabalhar em novos projetos. Tomou um gole de café e teve uma ideia fantástica de um serviço que poderia incluir na proposta. "O cliente vai adorar!", ela pensou com seus botões.[1]

Todavia, antes de ter a chance de anotar a ideia... ela foi interrompida por uma notificação do celular. A princípio, Wendy ignorou a intrusão. Rabiscou rapidamente algumas palavras, mas o celular voltou a vibrar com uma nova notificação. Dessa vez, ela perdeu o foco, movida pela curiosidade. E se fosse um cliente com alguma urgência?

Ela pegou o celular, só para descobrir que não passava do tweet de um rapper reverberando pelas mídias sociais. Depois de sair do aplicativo, outra notificação chamou sua atenção. Era sua mãe lhe desejando um bom dia. Wendy mandou um emoji de coração para sua mãe saber que ela estava bem. Ah, e o que foi isso? Uma notificação vermelha no ícone do aplicativo de networking profissional, o LinkedIn. E se fosse um novo cliente esperando por ela? Nada disso. Só um recrutador que visualizou o perfil dela e gostou do que viu.

Wendy pensou em responder, mas lembrou que precisava trabalhar. Já eram 9h20 da manhã e ela não tinha produzido nada. E, pior ainda, ela esqueceu a ideia brilhante que a deixara tão animada. "Como é que eu deixei isso acontecer?", ela lastimou. Apesar da importância do trabalho a ser feito, Wendy não estava conseguindo trabalhar. Ela estava, mais uma vez, caindo na armadilha das distrações.

Aposto que algo parecido já aconteceu com você. Afinal, é um problema bem comum. A fonte das distrações nesses momentos não é um gatilho interno. O problema está na dificuldade de ignorar os gatilhos externos, como notificações, alarmes, ligações e até outras pessoas.

É hora de nos defender do *hacking*. No jargão da tecnologia, "hackear" significa "obter acesso não autorizado a dados em um sistema ou computador".[2] E o problema é que os nossos dispositivos tecnológicos podem obter acesso não autorizado ao nosso cérebro, induzindo-nos à distração. Sean Parker, o primeiro presidente do Facebook, admitiu isso quando descreveu como a rede social foi criada para manipular nosso comportamento.[3] "É um ciclo de feedback de validação social", ele explicou. "Justamente o tipo de coisa que um hacker como eu faria, porque a ideia é explorar uma vulnerabilidade da psicologia humana."

Para começar a defender-nos do *hacking*, é interessante entender como as empresas de tecnologia usam os gatilhos externos para obter um efeito tão irresistível. Qual exatamente é a "vulnerabilidade da psicologia humana" descrita por Parker, que derruba as nossas defesas contra os gatilhos externos indutores da distração?

Em 2007, B. J. Fogg, fundador do Persuasive Technology Lab da Universidade Stanford, lecionou um curso sobre "persuasão interpessoal em massa". Vários de seus alunos acabariam aplicando os métodos em empresas como o Facebook e a Uber. Mike Krieger, um dos fundadores do Instagram, criou, no curso de Fogg, um protótipo do aplicativo que acabou sendo vendido por US$ 1 bilhão.

Na época, eu estudava na faculdade de administração da Stanford e fui convidado a um retiro na casa de Fogg, onde ele discorreu sobre seus métodos de persuasão em mais detalhes. O que aprendi com ele mudou tudo o que eu achava que sabia sobre o comportamento humano. Ele ensinou uma nova fórmula que mudou toda a minha visão de mundo.

De acordo com o Modelo de Comportamento de Fogg, para um comportamento (C) ocorrer, três fatores devem estar presentes ao mesmo tempo: motivação (M), habilidade (H) e um gatilho (G). Ou, em resumo, C = MHG.

A motivação é "a energia para a ação", de acordo com Edward Deci, professor de psicologia da Universidade de Rochester.[4] Quando estamos muito motivados, temos um forte desejo e, em consequência, a energia necessária para agir e, quando não estamos motivados, falta-nos a energia para realizar uma tarefa. O segundo fator da fórmula de Fogg, a habilidade, diz respeito à facilidade de ação. Em resumo, quanto maior for a dificuldade de realizar uma tarefa, menos chances as pessoas terão de realizá-la. Por outro lado, quanto mais fácil for uma tarefa, mais tenderemos a fazê-la.

Quando as pessoas têm motivação e habilidade suficientes, elas estão prontas para agir. Todavia, na ausência do terceiro componente, o comportamento não ocorrerá. É indispensável que um gatilho nos informe o que fazer. Já falamos sobre os gatilhos internos, mas, quando se trata dos produtos que usamos todos os dias e das interrupções que nos levam à distração, os gatilhos externos (estímulos no nosso ambiente que nos levam a agir) são importantíssimos.

Hoje em dia, grande parte das nossas dificuldades com as distrações resulta dos gatilhos externos.

"Quando a BlackBerry lançou a notificação push para e-mails em 2003, os usuários fizeram a festa: eles não precisariam mais ficar o tempo todo checando a caixa de entrada com medo de perder mensagens importantes. Quando um e-mail chegar, a BlackBerry promete, o celular avisará", escreveu David Pierce na revista *Wired*.[5] A Apple e o Google não demoraram a seguir o exemplo e integraram as notificações no sistema operacional de seus dispositivos. "E, de repente, as empresas passaram a ter um jeito de levar os usuários a olhar o celular sempre que queriam chamar a atenção", Pierce relata. "As notificações push se tornaram o sonho de qualquer anunciante: é impossível para o usuário saber se o texto ou o e-mail não passa de um anúncio, o que o obriga a ver a notificação antes de descartá-la." No entanto, acaba saindo caro viver checando essas notificações. Os gatilhos externos podem nos afastar das tarefas que planejamos fazer. Pesquisadores descobriram que, quando as pessoas são interrompidas durante uma tarefa, elas tendem a compensar o tempo perdido trabalhando mais rápido, mas isso acaba aumentando o estresse e a frustração.[6]

Quanto mais reagimos aos gatilhos externos, mais treinamos o cérebro a ficar preso em um ciclo interminável de estímulo e resposta. Em outras palavras, condicionamo-nos a reagir imediatamente. E logo parece impossível dar conta das tarefas que planejamos fazer porque passamos o tempo todo reagindo a gatilhos externos em vez de nos concentrar nas tarefas.

Será que a solução é simplesmente ignorar os gatilhos externos? Será que não teria um jeito de silenciar rapidamente as notificações, os telefonemas e as interrupções para conseguirmos fazer o que precisa ser feito?

Seria ótimo se fosse tão fácil. Um estudo publicado no *Journal of Experimental Psychology: Human Perception and Performance* constatou que receber uma notificação no celular e não reagir distraiu tanto os participantes quanto olhar a mensagem ou atender a ligação.[7] Além disso, os autores de um estudo conduzido na Universidade do Texas, em Austin, propuseram que "a mera presença de um smartphone pode 'exaurir o cérebro' porque a capacidade limitada de atenção acaba sendo alocada para inibir a atenção automática ao celular, ficando indisponível para a tarefa em questão". Em outras palavras, se deixar o celular no seu campo de visão, você força seu cérebro a trabalhar para ignorá-lo, mas, se deixar o celular em um lugar de acesso mais difícil ou longe da sua vista, seu cérebro consegue se concentrar na tarefa em questão.

Por sorte, nem todos os gatilhos externos reduzem a nossa atenção. Temos várias maneiras de utilizá-los para nos beneficiar. Por exemplo, mensagens de texto breves com palavras de encorajamento ajudam os fumantes a parar de fumar.[8] Uma meta-análise de intervenções realizadas em dez países diferentes descobriu que "as evidências confirmam a eficácia de intervenções com mensagens de texto na redução do tabagismo".[9]

O problema é que, apesar dos possíveis benefícios dos gatilhos externos, uma avalanche dessas interrupções tem o poder de destruir a nossa produtividade e felicidade. Como separar os gatilhos externos bons dos ruins? O segredo está na resposta a uma pergunta crucial:

O gatilho está trabalhando para mim ou sou eu que estou trabalhando para o gatilho?

Não esqueça que, de acordo com o Modelo de Comportamento de Fogg, qualquer comportamento requer três fatores: motivação, habilidade e um gatilho. A vantagem é que, para controlar as distrações indesejadas, basta remover os gatilhos externos que só atrapalham.

Quando lancei a pergunta crucial a Wendy, a consultora de marketing que não estava conseguindo se concentrar no trabalho, ela pôde usar a abordagem para saber quais gatilhos externos são úteis e quais são inúteis. Com isso, ela passou a ter condições de saber quais gatilhos levavam à tração e, com isso, pôde impedir que sua atenção fosse controlada pelos outros.

Com base nas respostas a essa pergunta crucial, os gatilhos podem ser vistos pelo que são: meras ferramentas. Se os usarmos bem, eles podem nos ajudar a permanecer no caminho certo. Se o gatilho nos ajudar a fazer as tarefas que programamos, nós o usamos para ganhar tração. Se nos levar à distração, o gatilho não está trabalhando para nós.

Nos próximos capítulos, veremos algumas maneiras práticas de usar as tecnologias e o nosso ambiente físico para eliminar esses gatilhos externos que só nos atrapalham. Aprenderemos a nos defender do *hacking* dos nossos dispositivos, de maneira que seus criadores jamais pretendiam, mas é justamente essa a ideia. A tecnologia deve trabalhar para nós e nunca o contrário.

⚑ LEMBRE-SE DISSO

- **Os gatilhos externos muitas vezes nos levam à distração.** É fácil nos deixar distrair pelas notificações, toques e alertas dos nossos dispositivos, bem como pelas interrupções de outras pessoas.
- **Os gatilhos externos nem sempre são um problema.** Se um gatilho externo nos levar à tração, ele está trabalhando para nós.
- **Faça a pergunta crucial: o gatilho está trabalhando para mim ou sou eu que estou trabalhando para o gatilho?** Munidos da resposta a essa pergunta, podemos nos defender do *hacking* dos gatilhos externos que só nos atrapalham.

Capítulo 14

Defenda-se do *Hacking* das Interrupções no Trabalho

Os hospitais existem para ajudar a curar os doentes. Nesse caso, como explicar os 400 mil americanos que recebem a medicação errada nos hospitais todos os anos e acabam piores do que chegaram? Além do custo humano devastador, estima-se que esses erros absolutamente evitáveis custam cerca de US$ 3,5 bilhões em despesas médicas adicionais.[1] De acordo com o cirurgião Martin Makary e o pesquisador Michael Daniel, da Universidade Johns Hopkins, "Se o erro médico fosse uma doença, ele entraria no ranking como a terceira principal causa de morte nos Estados Unidos".[2]

Becky Richards participou de uma equipe especial encarregada de criar maneiras de salvar vidas corrigindo o problema dos erros de medicação no Centro Médico da Kaiser Permanente do Sul de São Francisco. Richards, uma enfermeira experiente, sabia que muitos erros ocorriam quando pessoas qualificadas e bem-intencionadas cometiam erros que muitas vezes resultavam das distrações causadas por gatilhos externos. Com efeito, estudos descobriram que as enfermeiras eram submetidas a algo entre cinco e dez interrupções sempre que administravam alguma medicação.[3]

Uma das soluções propostas por Richards não foi muito bem recebida por seus colegas enfermeiros, pelo menos no começo. Ela propôs que os enfermeiros usassem coletes coloridos para indicar que estavam administrando uma medicação e não deveriam ser interrompidos.

"Eles acharam a ideia humilhante", Richards contou em um artigo publicado no site de enfermagem RN.com.[4] Diante da resistência inicial, ela encontrou um grupo de enfermeiros em uma unidade de oncologia cujo índice de erros era tão alto que eles estavam desesperados por uma solução.

Todavia, apesar da abertura inicial desses enfermeiros, as proposta foi recebida com mais objeções do que Richard tinha previsto. Para começar, os coletes laranja foram considerados feios e alguns enfermeiros reclamaram do calor. Pior ainda, os coletes tiveram o efeito contrário de chamar a atenção de médicos que começaram a interromper os enfermeiros querendo saber por que eles estavam usando os coletes. "Estávamos prestes a abandonar a ideia de tanto que os enfermeiros não gostaram", disse Richards.

Foi só quando a administração do hospital forneceu a Richards os resultados de seu experimento quatro meses depois que a eficácia de sua solução ficou clara. A unidade recrutada para o experimento de Richards reduziu os erros nada menos que 47%, tudo graças à simples providência de usar os coletes e aprender sobre a importância de um ambiente livre de interrupções.

"Percebemos que não poderíamos dar as costas aos nossos pacientes", Richards conta. Aos poucos, os enfermeiros passaram a adotar a prática, que se espalhou pelo hospital e a outros centros de atendimento. Alguns hospitais chegaram a bolar outras soluções, como uma "zona sagrada" onde os enfermeiros preparavam a medicação.[5] Outros hospitais criaram salas especiais livres de distrações ou com janelas espelhadas para os enfermeiros não serem interrompidos enquanto trabalhavam.

Estudos estão comprovando a eficácia dessas práticas de afastar os gatilhos externos indesejados para reduzir os erros.

Um estudo multi-hospitalar coordenado pela Universidade da Califórnia em São Francisco constatou uma redução de 88% no número de erros em três anos.[6]

Julie Kliger, diretora do Programa Integrado de Liderança em Enfermagem da Universidade da Califórnia, disse em 2009 ao SFGate.com que, curiosamente, ela se inspirou em um setor que não tem nada a ver com a saúde: a aviação. A aviação impõe uma regra apelidada de "cockpit estéril", que envolve uma série de normas aprovadas na década de 1980 depois de vários acidentes provocados por pilotos distraídos. As normas proíbem os pilotos de voos comerciais de se engajar em qualquer atividade considerada não crucial sempre que a aeronave estiver abaixo de 10 mil pés. O regulamento especifica "engajar-se em conversas não essenciais" e proíbe os comissários de entrar em contato com os pilotos durante as decolagens e aterrissagens, os momentos mais perigosos do voo.[7] "Comparamos nosso trabalho a pilotar um Boeing 747", disse Kliger. "[A zona de distração perigosa] para eles é qualquer coisa abaixo de 10 mil pés... Na enfermagem, é ao administrar a medicação aos pacientes". Richards conta que os enfermeiros não só cometem menos erros ao usar o colete como também sentem que o tempo de trabalho focado passa mais rápido. Suzi Kim, uma enfermeira do Centro Médico da Kaiser Permanente no Oeste de Los Angeles, disse que, quando usamos o colete, "conseguimos pensar com clareza".[8]

O impacto da distração raramente é tão fatal quanto para os profissionais da área médica, mas as interrupções afetam nosso desempenho em qualquer trabalho que requeira foco. O problema é que as interrupções estão por toda parte no nosso ambiente de trabalho.

Uma das principais causas costuma ser o uso indevido do espaço físico. 70% dos escritórios norte-americanos são organizados em um layout aberto.[9] Em vez de ter espaços de trabalho individuais separados por divisórias, hoje em dia os funcionários trabalham vendo os colegas, a sala de descanso, a recepção e praticamente a empresa toda.

A ideia dos escritórios de layout aberto é promover a troca de ideias e a colaboração. O problema é que, de acordo com um metaestudo de 2016 envolvendo mais de trezentos artigos, essa tendência resultou em mais distrações.[10] E, como você pode imaginar, também foi constatado que essas interrupções tendem a reduzir a satisfação dos funcionários.[11]

Pensando no quanto as distrações prejudicam nossa capacidade cognitiva, precisamos tomar medidas para nos defender desse problema, exatamente como Becky Richards fez. Não estou defendendo usar coletes laranja com os dizeres "não me interrompa" no trabalho, nem fazer uma reforma completa do escritório, mas sugiro uma solução explícita e eficaz para dissuadir as interrupções dos colegas de trabalho.

Você pode baixar e imprimir o seu, no site NirAndFar.com/Indistractable. O cartão contém, em letras graúdas, um pedido simples para quem estiver passando por perto: preciso me concentrar agora, mas depois a gente se fala. Coloque o cartão no monitor do seu computador para avisar os colegas que você não quer ser interrompido. Nem usar fones de ouvido no trabalho transmite uma mensagem tão clara. Usando o cartão, não tem erro.

Do mesmo modo como os coletes chamativos reduzem os erros de administração de medicamentos, um aviso no monitor mostra aos colegas que você está em modo indistraível.

Acho que qualquer pessoa entenderia o aviso, mas recomendo conversar com seus colegas assim mesmo. Eles podem gostar da ideia e vocês podem abrir um diálogo sobre a importância de trabalhar sem distrações.

Todavia, em algumas situações, precisamos de uma maneira ainda mais explícita de mostrar que não queremos ser interrompidos, especialmente quando trabalhamos em casa. Usando os mesmos princípios para bloquear os gatilhos externos indesejados, minha esposa comprou uma coroa chamativa em uma loja de 1,99. Ela a apelidou de "coroa da concentração" e, com as luzinhas piscando, é simplesmente impossível ignorar a mensagem. Quando ela usa a coroa, fica claro que ela não quer ser interrompida pela nossa filha (e por mim) a menos que seja uma emergência. E funciona que é uma beleza.

Quando trabalhamos em casa, a família pode ser uma fonte de distração. A "coroa da concentração" da minha esposa nos avisa que ela está em modo indistraível.

Não interessa se você escolher usar um colete colorido, uma plaquinha no monitor ou uma coroa piscando, a ideia para reduzir os gatilhos externos indesejados provocados pelas pessoas é deixar claro que você não quer ser interrompido. Com isso, seus colegas ou a sua família vão poder fazer uma pausa e avaliar os próprios comportamentos *antes* de impor uma interrupção.

⚑ LEMBRE-SE DISSO

- **As interrupções levam a erros.** Você não tem como fazer seu melhor trabalho se for bombardeado por distrações.
- **Os escritórios de layout aberto aumentam a distração.**
- **Defenda o seu foco.** Deixe claro quando você não quiser ser interrompido. Use uma placa no monitor ou algum outro sinal claro para avisar as pessoas que você está em modo indistraível.

Capítulo 15

Defenda-se do *Hacking* dos E-mails

O e-mail se transformou em uma verdadeira praga no trabalho. Basta fazer alguns cálculos simples para ver o tamanho do problema. Um funcionário de escritório recebe em média cem mensagens por dia.[1] Se cada e-mail tomasse apenas dois minutos, isso totalizaria até três horas e vinte minutos por dia. Pensando que em média passamos nove horas no escritório, menos uma hora de almoço, os e-mails consomem quase metade do nosso dia de trabalho.

Porém, vamos combinar que essa estimativa é muito conservadora, já que essas três horas e vinte minutos não incluem o tempo que levamos para voltar a nos concentrar na tarefa depois de checar os e-mails. Para você ter uma ideia, um estudo publicado no *International Journal of Information Management* constatou que funcionários de escritório passavam em média 64 segundos depois de checar os e-mails para voltar a se focar no trabalho.[2] Considerando que checamos nossos dispositivos, centenas de vezes por dia, dá para imaginar quanto tempo perdemos com as interrupções.

Para você não achar que vale a pena passar esse tempo todo com os e-mails, uma pesquisa publicada na *Harvard Business Review* concluiu que um número absurdo de e-mails no trabalho não passa da mais completa perda de tempo. Os pesquisadores estimam que "25% [do tempo que os gestores passam com o e-mail] é consumido lendo e-mails que nem deveriam ter sido enviados àqueles gestores e 25% do tempo é gasto respondendo a e-mails que o gestor não devia responder".[3] Em outras palavras, cerca da metade do tempo que passamos com os e-mails é tão produtivo quanto contar as rachaduras no teto.

O que faz do e-mail um problema tão persistente? Para responder a essa pergunta, precisamos entender melhor os fatores psicológicos que motivam as nossas ações. O e-mail pode ser considerado o pai de todos os produtos formadores de hábito. Para começar, ele nos dá uma recompensa variável. Como o psicólogo B. F. Skinner ficou famoso por descobrir, os pombos acionavam as alavancas com mais frequência quando eram recompensados em um esquema variável de reforço do comportamento. E essa mesma incerteza do e-mail nos mantém checando e "bicando" a nossa caixa postal.[4] Um e-mail pode trazer boas ou más notícias, informações empolgantes ou frivolidades, mensagens das pessoas que mais amamos ou de desconhecidos anônimos. Essa incerteza toda é um apelo enorme para dar uma espiada na nossa caixa de entrada para ver quais surpresas nos aguardam. O que acaba acontecendo é que passamos o dia inteiro checando os e-mails em uma tentativa interminável de aliviar o desconforto da expectativa.

Em segundo lugar, temos uma grande tendência à reciprocidade ou, em outras palavras, reagir na mesma moeda às ações dos outros. Quando alguém nos cumprimenta ou estende a mão para apertar a nossa, temos o impulso de retribuir o gesto. Não retribuir viola uma norma social e causa estranheza. Embora a tendência à reciprocidade funcione bem nas interações presenciais, esse nosso impulso natural pode levar a uma série de problemas on-line.

E, como se tudo isso não bastasse, o e-mail é uma ferramenta que simplesmente não temos como deixar de usar. Podemos depender dele para trabalhar e o e-mail está tão entranhado no nosso trabalho que deixar de usá-lo pode ameaçar nosso ganha-pão.

Todavia, como tantas outras coisas na vida que demandam mais tempo e atenção do que gostaríamos, é possível controlar o e-mail. Podemos aplicar algumas técnicas no nosso dia a dia no trabalho para nos livrar da sedução do e-mail. Vamos nos focar em algumas técnicas que dão os melhores resultados com o mínimo de esforço.

O tempo que passamos com o e-mail pode ser resumido em uma equação. O tempo total gasto com e-mails por dia (T) é uma função do número de mensagens recebidas (n) multiplicado pelo tempo médio (t) gasto em cada mensagem ou, em outras palavras, $T = n \times t$. Eu gosto de pensar em termos de "TNT" para me lembrar de que o e-mail tem o potencial de explodir todo o meu planejamento do dia.

Para reduzir o tempo total que gastamos com os e-mails por dia, precisamos mudar as variáveis *n* e *t*. Vamos começar vendo maneiras de reduzir o *n*, o número total de mensagens recebidas.

Dada a nossa tendência à reciprocidade, quando enviamos uma mensagem, o destinatário tenderá a responder imediatamente, perpetuando o ciclo.

Para receber menos e-mails, precisamos enviar menos e-mails.

Parece óbvio, mas a maioria não age de acordo com esse fato básico. Tamanha é a nossa necessidade de retribuir que respondemos às mensagens assim que a recebemos, não importa se for à noite, no fim de semana, em um feriado.

A maioria dos e-mails que enviamos e recebemos não é urgente. Porém, o apelo das recompensas variáveis nos leva a tratar todas as mensagens como se fossem urgentes. Essa tendência nos condiciona a passar o tempo todo checando as mensagens, respondendo e fazendo pedidos ou perguntas assim que eles nos vêm à cabeça. Contudo, é um grande erro agir assim.

ESTABELEÇA UM "HORÁRIO DE EXPEDIENTE"

No meu caso, recebo dezenas de e-mails todos os dias pedindo para falar sobre meus livros ou artigos. Eu adoro trocar ideias com meus leitores, mas, se eu respondesse a todos os e-mails, não teria tempo para mais nada. Então, para reduzir o número de e-mails que envio e recebo, estabeleci um "horário de expediente". Os leitores que quiserem podem agendar 15 minutos comigo no meu site NirAndFar.com/schedule-time-with-me.

Da próxima vez que alguém lhe mandar uma pergunta ou pedido não urgente por e-mail, tente responder com algo como: "Reservei um tempo para isso na terça e na quinta das 16h às 17h. Se a pergunta ou o pedido continuar relevante nessas datas, passe na minha sala para conversarmos". Você pode até configurar uma ferramenta de agendamento on-line como a minha para as pessoas marcarem um horário com você.

> *Você se surpreenderá ao ver quantas coisas se tornam irrelevantes quando você dá um tempo para elas assentarem.*

Quando você pede para a pessoa esperar, dá a ela a chance de encontrar uma solução por si só ou, como costuma acontecer, dá um tempo para o problema simplesmente desaparecer debaixo de alguma outra prioridade.

E se a pessoa não conseguir encontrar a solução e ainda precisar falar com você? Melhor ainda! É muito melhor tratar as questões difíceis pessoalmente do que por e-mail, que deixa muito espaço para mal-entendidos. A ideia é que convidar as pessoas para conversar sobre questões complexas no seu "horário de expediente" levará a uma comunicação melhor e reduzirá a enxurrada de e-mails.

TIRE O PÉ DO ACELERADOR E POSTERGUE UM POUCO A RESPOSTA

Seguindo a lógica de que para receber menos e-mails devemos enviar menos e-mails, vale a pena pensar em maneiras de desacelerar o frenético pingue-pongue de e-mails deixando para enviar as mensagens um bom tempo depois de escrevê-las. Afinal, onde está a lei que diz que todos os e-mails devem ser enviados assim que acabamos de escrevê-los?

Por sorte, a tecnologia pode ajudar. Em vez de escrever alucinadamente uma resposta e clicar em enviar imediatamente, programas de e-mail como o Microsoft Office[5] e ferramentas como o Mixmax[6] para o Gmail nos possibilitam agendar o envio de uma mensagem. Sempre que respondo a um e-mail, tenho o hábito de perguntar: "Quanto tempo essa pessoa pode esperar para ler esta resposta?"

Basta clicar um botão a mais antes de enviar e o e-mail sai da minha caixa de entrada e da minha cabeça, mas fica guardado para ser enviado só na data e horário que eu agendei. É muito simples: menos e-mails enviados por dia resultam em menos e-mails recebidos de volta por dia.

Agendar o envio não só dá um tempo para o problema ser resolvido por outros meios como também reduz as chances de eu receber e-mails em momentos inoportunos. Por exemplo, você pode gostar de tirar a tarde de sexta-feira para limpar a sua caixa postal, mas agendar o envio das respostas para segunda-feira o impede de estressar os colegas e ajuda a proteger seu fim de semana de respostas que o forçarão a pensar no trabalho quando você deveria estar relaxando.

ELIMINE AS MENSAGENS INDESEJÁVEIS

E, por fim, existe um método espetacular para reduzir o número de e-mails recebidos. Todos os dias, recebemos uma torrente interminável de spams, e-mails de propaganda e newsletters. Alguns podem até ser úteis, mas a maioria não é.

Como podemos deixar de receber esses e-mails indesejados e invasivos? Se o e-mail for um newsletter ao qual você se inscreveu no passado, mas que deixou de ser relevante, a melhor coisa a fazer é clicar no link "Descadastrar" no fim do e-mail. Falando como um autor de newsletter, posso dizer que, se você não tiver mais interesse, prefiro que você se descadastre e acho que a maioria dos outros autores de newsletter diria a mesma coisa. Considerando que pagamos aos provedores por endereço de e-mail cadastrado na nossa lista, preferimos só enviar mensagens para as pessoas interessadas no que temos a dizer.

Porém, alguns anunciantes fazem questão de esconder o link "Descadastrar" em seus spams ou até continuam mandando e-mails mesmo depois que nos descadastramos. Nesses casos, recomendo enviá-los para o "buraco negro". Eu uso o SaneBox, um programa simples que roda em segundo plano quando uso meu programa de e-mail.[7] Sempre que encontro um e-mail que sei que nunca mais quero receber, clico em um botão para enviar o e-mail desse remetente para a pasta do buraco negro (chamada, no programa, de "SaneBlackHole"). Feito isso, o SaneBox garante que nunca mais receberei nada desse remetente.

É verdade que leva tempo administrar e-mails indesejados, mas, ao reduzir as chances de as mensagens indesejadas invadirem a sua caixa de entrada, esses e-mails chatos vão incomodar cada vez menos.

Agora que já vimos maneiras de reduzir o número de e-mails que recebemos (o n na nossa equação), vamos nos voltar à segunda variável, o t, ou o tempo que passamos escrevendo e-mails.

Cada vez mais evidências indicam que lidar com os e-mails em lotes é muito mais eficiente e menos estressante do que checar os e-mails várias vezes por dia.[8] A explicação para isso é que nosso cérebro leva um tempo para alternar de uma tarefa a outra, de modo que é melhor nos concentrar em ver todos os e-mails de uma vez só. Eu sei o que você está pensando: que você não tem como esperar o dia todo para verificar seus e-mails. Eu entendo. Eu também preciso checar minha caixa de entrada para ver se não estou deixando passar nenhuma urgência.

O problema não está em checar os e-mails, mas no nosso hábito de rechecar os e-mails.

Veja se você já passou por isto: você é notificado que recebeu um e-mail, abre a caixa de entrada e dá uma olhada para ver do que se trata. Você vai lendo as mensagens para ver se alguma delas é urgente e deixa todos os e-mails não urgentes para outra hora. Mais tarde, você abre a sua caixa de entrada e, sem lembrar exatamente o conteúdo das mensagens que já leu, você as relê. Porém, você não tem tempo para responder a todas elas. Mais tarde, você repassa os e-mails mais uma vez. Antes de aprender a técnica que estou prestes a revelar, eu confesso que abria algumas mensagens tantas vezes que até tenho vergonha de lembrar. Que desperdício de tempo!

MARQUE AS MENSAGENS

Tendemos a achar que a coisa mais importante de um e-mail é seu conteúdo, mas não é bem assim. O aspecto mais importante de um e-mail, do ponto de vista da administração do tempo, é sua urgência. E, se esquecemos quando precisamos responder, acabamos perdendo tempo relendo a mensagem.

A solução para essa loucura é simples: só abra um e-mail no máximo duas vezes. Da primeira vez que você abrir um e-mail, antes de fechá-lo responda: "Quando este e-mail requer uma resposta?" Marcar cada e-mail como um prazo, como "Hoje" ou "Esta semana", inclui a informação mais importante a cada nova mensagem, preparando-a para a segunda (e última) vez que a abrirmos. É claro que, no caso de mensagens urgentíssimas, vá em frente e responda imediatamente. Já as mensagens que não requerem uma resposta devem ser deletadas ou arquivadas na hora.

Note que não estou sugerindo rotular os e-mails com assuntos ou categorias, mas só com a data em que você vai precisar responder. Isso o protege da distração dos e-mails porque você sabe que vai respondê-los no tempo que alocou especificamente para isso na sua agenda.

No meu caso, dou uma passada de olhos na minha caixa de entrada antes do café da manhã. E levo menos de dez minutos para marcar a data de resposta em todos os novos e-mails que precisarei responder. Com isso, eu posso ficar tranquilo, sabendo que não vou deixar de responder nenhum e-mail importante. Sei que as mensagens estarão me esperando na caixa de entrada e posso me concentrar no trabalho até chegar a hora de responder.

Minha agenda diária inclui um tempo para responder aos e-mails que marquei para "Hoje". É muito mais rápido responder às mensagens urgentes do que ter de repassar todos os e-mails para descobrir quais deles precisam ser respondidos até o fim do dia. Além disso, eu reservo três horas por semana para processar as mensagens menos urgentes que rotulei com "Esta semana". E, no fim da semana de trabalho, eu revejo a minha agenda para ver se o tempo que reservei para os e-mails foi suficiente e ajusto a programação da semana seguinte.

Qual é o problema de simplesmente responder assim que abrir a mensagem pela primeira vez? Passar dois minutos respondendo a um e-mail no celular não parece grande coisa, até você perceber que, com as centenas de mensagens que recebemos todos os dias, esses dois minutos podem se multiplicar rapidamente. Quando você se dá conta, os dois minutos se transformaram em dez, quinze ou sessenta e você perdeu o dia respondendo freneticamente os e-mails em vez de se concentrar nas tarefas que realmente queria realizar.

Derrotar o monstro das mensagens requer uma série de armas para atacar essa fonte persistente de distração, mas, ao aplicar essas técnicas comprovadas, podemos controlar os gatilhos que nos tiram do rumo.

> ## ▌ LEMBRE-SE DISSO
>
> - **Divida o problema em partes menores.** O tempo gasto com os e-mails (T) é uma função do número de mensagens recebidas (n) multiplicado pelo tempo médio (t) gasto por mensagem: $T = n \times t$.
> - **Reduza o número de mensagens recebidas.** Defina um "horário de expediente", postergue o envio das mensagens e reduza o número de mensagens indesejadas.
> - **Passe menos tempo com cada mensagem.** Marque os e-mails para lembrar-se de quando as mensagens precisarão ser respondidas. Responda aos e-mails só nos horários que você programou na sua agenda para a atividade.

Capítulo 16

Defenda-se do *Hacking* dos Grupos de Mensagens

Jason Fried diz que um grupo de mensagens é "como passar o dia inteiro em uma reunião sem pauta com participantes escolhidos ao acaso".[1] O mais incrível dessa afirmação é que a empresa fundada por Fried, a Basecamp, produz um popular aplicativo de mensagens em grupo. Porém, Fried sabe muito bem que sua empresa tem interesse em evitar que os usuários se cansem. Ele faz várias sugestões para equipes que usam um aplicativo de mensagens em grupo, como o Basecamp, o Slack, o WhatsApp ou outros serviços de mensagens.

"Aprendemos que faz muito sentido usar os grupos de mensagens com moderação e só em algumas situações muito específicas", Fried escreveu em um post na internet. "O que faz muito menos sentido é usar os serviços de mensagens como o principal método de comunicação de uma organização. Pode até ser uma de várias ferramentas de comunicação disponíveis. Contudo, não a única... Todo tipo de problema pode acontecer quando uma empresa começa a achar que todos devem estar on-line na maior parte do tempo".

Fried acredita que as ferramentas que usamos também podem afetar o que sentimos em relação ao trabalho e, por isso, nos aconselha a usar os grupos de mensagens com moderação. "Estressado, exausto e ansioso? Ou tranquilo, descontraído e sob controle? Esses estados mentais são consequências dos tipos de ferramentas que usamos e dos tipos de comportamento que elas tendem a causar." Fried acredita que, apesar de a grande vantagem dos grupos de mensagens ser possibilitar conversas em tempo real, "falar *neste exato momento* deve ser a exceção, não a regra".[2]

Para usar bem os grupos de mensagens, precisamos seguir quatro regras básicas:

REGRA 1: USE COMO SE FOSSE UMA SAUNA

Deveríamos usar os grupos de mensagens da mesma maneira como usamos outros canais de comunicação em tempo real. Ninguém escolheria participar de uma teleconferência que durasse um dia inteiro e o mesmo vale para os grupos de mensagens. Fried recomenda "tratar o bate-papo em grupo como se fosse uma sauna: fique um pouco, mas depois saia... não é bom ficar muito tempo".

Outra sugestão é agendar uma reunião da equipe no grupo de mensagens para todo mundo estar on-line ao mesmo tempo. Fazendo isso, os grupos de mensagens podem ser uma excelente ferramenta para reduzir as reuniões presenciais.

Não é por acaso que o CEO de uma empresa de um serviço de mensagens em grupo aconselha restringir a utilização de seu produto. Mesmo assim, muitas empresas que usam esses serviços incentivam os funcionários a passar o dia inteiro na sauna do bate-papo em grupo. O problema dessa prática corrosiva é que as pessoas nem sempre podem simplesmente decidir não aderir a ela. Falaremos sobre culturas organizacionais disfuncionais mais adiante neste livro.

REGRA 2: AGENDE AS CONVERSAS EM GRUPO

As mensagens curtas, os GIFs e os emojis que as pessoas costumam usar nas conversas em grupo criam um fluxo contínuo de gatilhos externos que as afastam ainda mais da tração. Para defender-se desse *hacking*, reserve um horário na sua agenda diária para dar uma olhada no que está acontecendo nos grupos, do mesmo modo como você faria ao aplicar o *timeboxing* a qualquer outra tarefa na sua agenda.

É importante informar os colegas quando você planeja ficar indisponível. Você pode tranquilizá-los garantindo que vai contribuir com a conversa no horário marcado, mas, até lá, ative o recurso "Não perturbe" para se focar no trabalho.

REGRA 3: SEJA CRITERIOSO

Seja muito seletivo ao escolher os participantes do grupo de mensagens. Fried aconselha: "Não caia na tentação de incluir todo mundo. Quanto menor for o grupo, melhor vai ser a comunicação". Mantendo a metáfora da teleconferência, ele explica: "O ideal é uma teleconferência com apenas três pessoas. Seis ou sete pessoas vão ter uma conversa caótica e ineficiente. O mesmo vale para os grupos de bate-papo. Cuidado para não convidar a turma toda quando só precisar de algumas pessoas". Limite-se a convidar pessoas que possam ensinar e aprender com a conversa.

REGRA 4: USE SELETIVAMENTE

É melhor evitar o bate-papo em grupo para falar sobre assuntos delicados. Lembre que observar diretamente o estado de espírito, o tom de voz e os sinais não verbais das pessoas é importantíssimo para contextualizar as conversas. Como Fried sugere, "O bate-papo só deve ser usado para falar de coisas rápidas e efêmeras", ao passo que "assuntos importantes requerem tempo, tração e separação do ruído da tagarelice".

O problema é que algumas pessoas gostam de "pensar em voz alta" nos grupos de mensagens, explicando seus argumentos e ideias em mensagens de uma só linha. Esse tipo de prática raramente é eficaz porque fica difícil acompanhar o que a pessoa está pensando em tempo real enquanto as outras comentam com emojis e outras possíveis distrações. Em vez de usar os grupos de bate-papo para longas discussões e decisões apressadas, é melhor pedir aos participantes para elaborar seus argumentos em um documento e compartilhá-lo com o grupo só depois de compilar suas ideias.

No fim, os grupos de mensagens não passam de mais um canal de comunicação, não muito diferente dos e-mails ou mensagens de texto. Quando bem utilizada, a ferramenta pode ter vários benefícios, mas, quando abusada ou mal utilizada, pode levar a uma enxurrada de gatilhos externos indesejados. O segredo está na resposta à nossa pergunta crucial: o gatilho está trabalhando para mim ou sou eu que estou trabalhando para o gatilho? Só devemos usar os grupos de mensagens quando isso nos ajudar a ganhar tração e eliminar os gatilhos externos que nos levam à distração.

⚑ LEMBRE-SE DISSO

- **Os canais de comunicação em tempo real devem ser usados com moderação.** O tempo gasto com a comunicação não deve sacrificar o tempo gasto no trabalho focado.
- **A cultura da empresa faz uma grande diferença.** Mudar as práticas de bate-papo em grupo na sua empresa pode exigir questionar as normas da empresa. Vamos discutir esse tema na Parte 5.
- **Diferentes canais de comunicação devem ser utilizados de maneiras diferentes.** Em vez de usar todas as tecnologias como um canal de conectividade constante, use as melhores ferramentas de acordo com o trabalho em questão.
- **Entre e saia.** Os grupos de mensagens são excelentes para substituir reuniões presenciais, mas são terríveis se tomarem o dia inteiro.

Capítulo 17

Defenda-se do *Hacking* das Reuniões

Hoje em dia, nas reuniões, as pessoas mal prestam atenção ao que está sendo dito, mandando mensagens umas às outras com comentários sobre a chatice disso tudo.[1] Parte do problema é que acontece muito de as pessoas marcarem uma reunião para não ter de resolver um problema por conta própria. Algumas pessoas preferem discutir o problema com os colegas a trabalhar sozinhas. Não tenho nada contra a colaboração, mas as reuniões não devem ser usadas como uma distração do trabalho. Como podemos aumentar o valor das reuniões?

O principal objetivo da maioria das reuniões deveria ser obter o consenso para uma decisão e não só para validar as opiniões da pessoa que propôs a reunião. Uma das maneiras mais fáceis de evitar reuniões desnecessárias é exigir duas coisas de quem convoca uma reunião. Em primeiro lugar, o organizador da reunião deve circular uma pauta do problema a ser discutido. Sem pauta, nada de reunião. Em segundo lugar, ele deve propor uma solução em um breve resumo por escrito. O resumo não deve ocupar mais do que uma ou duas páginas para apresentar o problema, a argumentação e a solução recomendada.

Essas duas etapas demandam um pouco mais de esforço, mas é justamente essa a ideia. Os requisitos da pauta e do resumo não só poupam o tempo de todos como também reduzem as reuniões desnecessárias, exigindo que o organizador se empenhe um pouco antes de convocar uma reunião.

Porém, e as vantagens da sabedoria coletiva e do brainstorming? Não tenho nada contra, mas sugiro não convocar reuniões de mais de duas pessoas para isso. A menos que a reunião seja convocada para apagar um incêndio ou seja um fórum aberto para ouvir as opiniões dos funcionários (que discutiremos na Parte 5), é melhor apresentar opiniões e sugestões individuais para um problema por e-mail diretamente à pessoa responsável. O brainstorming também pode ser feito antes da reunião e é mais eficaz se for realizado individualmente ou em grupos muito pequenos. Quando lecionei na Faculdade de Design da Stanford, as equipes que faziam o brainstorming individualmente antes de se reunir não só tinham ideias melhores como também tinham mais chances de propor uma maior diversidade de soluções, por ser menos propensas a deixar-se levar pelos membros mais dominantes do grupo.

Em terceiro lugar, se a reunião for marcada, é preciso seguir as mesmas regras de comunicação síncrona que discutimos no capítulo anterior, sobre os grupos de mensagens. Seja na internet ou presencialmente, precisamos aplicar as mesmas regras para escolher a dedo quem precisa participar da reunião e entrar e sair rapidamente da reunião.

Hoje em dia, enfrentamos um problema adicional nas reuniões: as pessoas ficam em seus dispositivos em vez de prestar atenção ao que é dito. Os participantes checam e-mails ou mexem no celular durante as reuniões apesar de muitos estudos mostrarem que nosso cérebro é terrível em absorver informações quando não estamos prestando muita atenção.[2] Ver outras pessoas usando seus dispositivos nas reuniões intensifica a corrida armamentista da percepção de produtividade e da paranoia ou, em outras palavras, ficamos mais estressados quando achamos que os outros estão trabalhando e nós não. Pensar na nossa caixa de entrada cheia de mensagens reduz a eficácia da reunião. Acabamos não participando direito, o que resulta em uma reunião menos produtiva, menos relevante e menos interessante.

Para nos manter indistraíveis nas reuniões, devemos eliminar praticamente todas as telas. Já perdi as contas de quantos workshops conduzi e vi uma enorme diferença entre reuniões que permitiam o uso da tecnologia e reuniões nas quais os dispositivos eram proibidos. As reuniões sem dispositivos levaram a participantes muito mais engajados e resultados muito melhores. Para impedir o desperdício de tempo nas reuniões, precisamos adotar novas práticas e regras.

Se precisamos passar nosso tempo em uma reunião, devemos estar totalmente presentes.

Para começar, toda sala de reuniões deve ser equipada com uma estação de carregamento para dispositivos, mas fora do alcance de todos. Antes da reunião, os participantes devem ser encorajados a silenciar o celular e ligar os dispositivos na tomada para livrar a reunião de distrações. Pode haver exceções a essas regras dependendo da empresa, mas, para participar de uma reunião, as pessoas em geral não precisam de nada mais que algumas folhas de papel, uma caneta e talvez alguns post-its.

Se você precisar usar o PowerPoint, faça a apresentação no laptop de um participante ou use o computador da sala de reunião. Em vez de instigar os outros a usar seus dispositivos, qualquer pessoa que tentar usar um celular ou laptop durante uma reunião deve receber olhares de desaprovação de você e dos colegas.

Apesar do maior engajamento potencial nas reuniões livres de tecnologia, algumas pessoas podem resistir à ideia, argumentando que precisam dos dispositivos para fazer anotações ou acessar arquivos. Todavia, se formos sinceros, sabemos que essas justificativas nem sempre são válidas. Por que precisamos usar nossos dispositivos nas reuniões? As tecnologias nos dão uma maneira de estar fisicamente presentes, mas mentalmente ausentes. A verdade inconveniente é que gostamos de usar nosso celular, tablet e laptop nas reuniões, não por uma questão de produtividade, mas para ter uma fuga psicológica. As reuniões podem ser insuportavelmente tensas, socialmente embaraçosas e extremamente chatas e os dispositivos nos dão uma maneira de administrar nossos gatilhos internos desconfortáveis.

Reduzir o número de reuniões desnecessárias aumentando o esforço necessário para convocar uma, seguir as regras de uma boa comunicação síncrona e garantir que as pessoas participem da reunião em vez de se distrair com seus dispositivos garantirá reuniões muito menos terríveis e enfadonhas.

É verdade que não faltam potenciais distrações no nosso trabalho, mas cabe a nós administrá-las testando continuamente novas maneiras de manter o foco. Escolha algumas táticas que você aprendeu nesta seção e convide alguns colegas para testá-las com você. Defender-se do *hacking* dos gatilhos externos, seja no escritório ou nos nossos dispositivos, pode nos ajudar a trabalhar e a viver melhor nos blindando contra as distrações.

◼ LEMBRE-SE DISSO

- **Dificulte para as pessoas convocarem reuniões.** Para convocar uma reunião, o organizador deve circular uma pauta e um documento informativo.
- **O objetivo das reuniões é chegar a um consenso.** Com raras exceções, a etapa da resolução criativa de problemas deve ser realizada antes da reunião, individualmente ou em grupos muito pequenos.
- **Esteja plenamente presente.** As pessoas usam dispositivos durante as reuniões para fugir do desconforto e do tédio, o que acaba piorando ainda mais as reuniões.
- **Permita no máximo um computador na reunião.** O acesso aos dispositivos dificulta atingir o objetivo da reunião. Tirando um computador na sala para apresentar informações e fazer anotações, deixe os dispositivos no modo silencioso e fora do alcance dos participantes.

Capítulo 18

Defenda-se do *Hacking* do deu Smartphone

Muitas pessoas, inclusive eu, são dependentes do celular. Seja para falar com a família, localizar-se ao dirigir pela cidade ou ouvir audiobooks, esse dispositivo milagroso no nosso bolso passou a ser um objeto indispensável. O problema é que essas mesmas funcionalidades transformam o smartphone em uma fonte enorme de distrações potenciais.

Por sorte, ser dependente não é a mesma coisa que ser viciado.[1] Podemos aproveitar nossos dispositivos ao máximo sem nos deixar dominar por eles. Ao nos defender do *hacking* do nosso celular, podemos neutralizar os gatilhos externos que nos levam a comportamentos danosos.

Veja minhas quatro sugestões para defender-se do *hacking* do seu smartphone e poupar incontáveis horas olhando o celular sem pensar. A vantagem é que a implementação desse plano, do começo ao fim, leva menos de uma hora e você nunca mais vai ter uma desculpa para se deixar distrair pelo celular.

PASSO 1: REMOVA

O primeiro passo para administrar as distrações do nosso celular é excluir os aplicativos que deixaram de ser necessários. Para fazer isso, tive de fazer a fazer a pergunta crítica sobre quais gatilhos externos do meu celular estavam me ajudando e quais só estavam atrapalhando. Com base nas minhas respostas, desinstalei os aplicativos que não se alinhavam com os meus valores. Fiquei com os aplicativos que eu usava para aprender e manter a saúde e excluí os aplicativos de notícias que me distraíam com alertas estridentes e conteúdos estressantes.

Também deletei todos os jogos do meu celular. É claro que não estou dizendo que você precisa fazer a mesma coisa. Hoje em dia, muitos jogos, especialmente os games de desenvolvedores independentes, são verdadeiras obras de arte e tão interessantes ou moralmente virtuosos quanto qualquer livro ou filme de qualidade. Porém, decidi que, para mim, os jogos não se alinhavam com a maneira como eu queria passar meu tempo ao celular.

Sou um tecnófilo inveterado e adoro testar os aplicativos mais recentes. Todavia, depois de alguns anos, percebi que eu tinha me transformado em um verdadeiro acumulador de aplicativos, que acabavam entupindo meu celular. Se você for mais ou menos igual a mim, deve ter um amontoado de aplicativos que nunca usa. Esses aplicativos ocupam espaço de armazenamento no celular e consomem dados para se atualizar. Porém, o pior de tudo é que esses aplicativos zumbis enchem nossos dispositivos de poluição visual.

PASSO 2: SUBSTITUA

Foi fácil eliminar esses aplicativos porque, como eu nunca os usava, eles não faziam diferença alguma na minha vida. Só que o próximo passo exigia eliminar aplicativos que eu adorava.

O problema era que eu não raro me pegava grudado no YouTube, Facebook ou Twitter no celular apesar de ter planejado passar um tempo com a minha filha. Assim que eu ficava um pouco entediado, ia ver um vídeo curto ou dar uma olhada no que estava acontecendo nas mídias sociais. Só que o tempo que eu passava no celular era um tempo que eu deixava de passar com a minha filha. Não dava para abandonar completamente esses serviços, porque eu os usava para me manter em contato com amigos e ver vídeos interessantes e relevantes.

A solução foi substituir quando e onde eu usava esses serviços problemáticos. Aplicar o *timeboxing* para reservar um tempo para as mídias sociais na minha agenda eliminou a necessidade de ter esses aplicativos instalados no meu celular. Depois de hesitar um pouco, eu os deletei do meu celular e pareceu que um peso foi tirado dos meus ombros. Foi um alívio enorme saber que eu poderia acessar os serviços no meu computador no horário marcado e não sempre que o aplicativo decidisse me importunar com uma notificação.

Uma das surpresas mais agradáveis que tive foi quando decidi mudar o jeito que eu costumava ver as horas. Eu odeio me atrasar e costumava passar o dia inteiro olhando o celular para checar a hora e, muitas vezes, acabava me distraindo com uma notificação na tela de bloqueio do celular. Quando voltei a usar um relógio de pulso, acabei checando muito menos o celular. Uma rápida olhada no meu relógio de pulso me informava tudo o que eu precisava saber e nada mais.[5*]

A ideia é encontrar o melhor horário e local para fazer as coisas que você *quer* fazer. O simples fato de o seu celular aparentemente conseguir fazer de tudo não significa que ele *deveria*.

PASSO 3: REORGANIZE

Agora que ficamos só com os nossos aplicativos essenciais, precisamos reorganizar o celular para reduzir as distrações. A ideia é não permitir que nada nos afaste da tração quando desbloqueamos o celular.

[5*] Embora eu tenha comprado um Apple Watch para esse propósito, eu não o uso mais. Prefiro o Nokia Steel HR, que, além de ser um smartwatch muito mais barato, oferece o maravilhoso recurso de mostrar as horas o tempo todo, sem obrigar o usuário a ficar sacudindo o pulso.

Tony Stubblebine, editor-chefe do *Better Humans*, um agregador de artigos on-line, chama a configuração de seu celular de "Tela Inicial Básica". Stubblebine foi o sexto funcionário do Twitter e sabe muito bem como a plataforma foi criada para manipular as vulnerabilidades psicológicas humanas.

Ele recomenda dividir os aplicativos em três categorias: "ferramentas básicas", "aspirações" e "caça-níqueis".[2] Segundo ele, as ferramentas básicas "nos ajudam com tarefas frequentes, como chamar um Uber, encontrar um local no mapa, agendar um compromisso. Você não deve ter mais que cinco ou seis desses aplicativos". Já as aspirações são "as coisas que você quer fazer, como meditar, fazer ioga, exercitar-se, ler livros ou ouvir podcasts". Stubblebine descreve os caça-níqueis como "os aplicativos que você abre e acaba sendo sugado em um buraco negro: e-mail, Twitter, Facebook, Instagram, Snapchat etc." Ele recomenda organizar a tela inicial do seu celular para só mostrar as ferramentas básicas e as aspirações. A ideia é "pensar na sua tela inicial como um grupo de aplicativos que você sente que pode controlar. Se o aplicativo levá-lo a perder-se em distrações, coloque-o em outra tela".

Bastaram alguns poucos minutos organizando os aplicativos no meu celular para remover gatilhos externos desnecessários da minha tela inicial.

Além disso, em vez de ficar passando de uma tela à outra para encontrar um aplicativo, recomendo usar a função de pesquisa do celular. Isso vai reduzir o risco de deixar-se distrair com algum aplicativo enquanto procura em todas as telas e pastas do celular.

PASSO 4: RETOME O CONTROLE

Em 2013, a Apple anunciou que seus servidores enviaram 7,4 trilhões de notificações push.[3] O problema é que poucas pessoas tentam evitar esses gatilhos externos. De acordo com Adam Marchick, CEO da Kahuna, uma empresa de mobile marketing, menos de 15% dos usuários de smartphone ajustam as configurações de notificação, o que significa que 85% dos usuários permitem que os aplicativos os interrompam sempre que quiserem.[4]

Cabe a nós fazer ajustes alinhados às nossas necessidades. Os aplicativos não vão fazer isso por nós. Porém, quais notificações deveríamos desativar e como? Agora que reduzimos o número de aplicativos no nosso celular, podemos ajustar nossas configurações de notificação. Este passo me levou uns trinta minutos, mas foi o que mais mudou minha vida.

Se você usa um iPhone da Apple, vá para Configurações e selecione a opção Notificações ou, se usar um smartphone Android, encontre a seção Aplicativos em Configurações. Nessa tela, você pode ajustar as permissões de notificação de cada aplicativo de acordo com as suas preferências.

Pela minha experiência, é interessante ajustar dois tipos de permissão de notificação:

1. **Notificações sonoras:** as notificações sonoras são as mais intrusivas. Decida quais aplicativos poderão interrompê-lo quando você estiver com a família ou no meio de uma reunião.

Eu só dou esse privilégio a mensagens de texto e telefonemas, mas também uso um aplicativo que dá um aviso sonoro de hora em hora para me ajudar a não sair da minha programação.[6*]

2. **Notificações visuais:** tirando os sons, os gatilhos visuais são a segunda forma mais intrusiva de interrupção. No meu caso, eu só permito notificações visuais na forma daqueles círculos vermelhos no canto do ícone de um aplicativo e só concedo essa permissão a serviços de mensagens como o aplicativo de e-mail, o WhatsApp, o Slack e o Messenger. Eu não uso esses aplicativos para emergências e sei que posso esperar para abri-los quando estiver pronto.

O único problema dessas duas categorias é que alguns gatilhos sonoros podem ser acionados quando estou focado no trabalho ou à noite, quando estou dormindo. Eu só quero ser interrompido por esses gatilhos externos em caso de emergência. Felizmente, o iPhone tem dois recursos "Não perturbe" incríveis (o Android está lançando uma funcionalidade parecida).

O primeiro é o "Não perturbe" padrão, que pode ser programado para desativar todas as notificações, inclusive ligações e mensagens de textos. Todavia, se alguém ligar duas vezes em três minutos ou enviar uma mensagem de texto com a palavra "urgente", o iPhone aceita a ligação ou a mensagem.[5]

O segundo recurso do iPhone é o modo "Não perturbe ao dirigir", que bloqueia ligações e mensagens de texto e envia uma mensagem ao remetente informando que você não pode atender no momento. Você pode até personalizar a mensagem para avisar que você está em modo indistraível.

6* Chime, https://itunes.apple.com/us/app/chime/id414830146?mt=8.

> Hi! This is an automated reply to let you know I'm indistractable at the moment. 🚫 I will not see your message right away but I'll get back to you shortly.
>
> (I'm not receiving notifications. If this is urgent, reply "urgent" to send a notification through with your original message.)

> Olá! Esta é uma resposta automática para avisar que estou indistraível no momento. 🚫 Não posso responder sua mensagem agora, mas pode deixar que eu retorno depois.
>
> (Não estou recebendo notificações. Se for algo urgente, responda com a palavra "urgente" e inclua a mensagem original para eu ser notificado.)

Personalize uma resposta automática para avisar que você está indistraível usando o recurso "Não perturbe ao dirigir" da Apple.

Vale notar que manter o controle dos gatilhos externos do seu celular requer um pouco de manutenção. Sempre que instalamos um novo aplicativo, precisamos configurar a permissão de notificações para ele. O lado bom é que a Apple e o Android têm planos para facilitar o processo de configuração de notificações nas próximas atualizações de seus sistemas operacionais.

Você pode ter várias maneiras para remover os gatilhos externos indesejados do seu celular. Os desenvolvedores podem tentar incluir todo tipo de apelo e sedução nos aplicativos, mas você tem o poder de remover, substituir, reorganizar e retomar o controle dos seus aplicativos. Usando apenas uma pequena fração do tempo que gastaria se distraindo no celular, você pode configurá-lo para eliminar os gatilhos externos indesejados. Você também pode ter uma experiência móvel livre de distrações. Nada o impede de defender-se do *hacking* do seu celular.

⚑ LEMBRE-SE DISSO

- Você pode defender-se do *hacking* dos gatilhos externos do seu celular seguindo quatro passos que levarão menos de uma hora.
- **Remova:** desinstale os aplicativos dos quais você não precisa mais.
- **Substitua:** ajuste onde e quando você usa aplicativos potencialmente distrativos, como só acessar as mídias sociais e o YouTube no seu computador, nunca no celular. Use um relógio de pulso para não ter de usar o celular para ver a hora.
- **Reorganize:** retire da tela inicial do seu celular todos os aplicativos que possam induzi-lo à distração.
- **Retome o controle:** altere as configurações de notificação de cada aplicativo. Seja muito seletivo ao decidir quais aplicativos podem enviar notificações sonoras e visuais. Aprenda a usar as configurações "Não perturbe" do seu celular.

Capítulo 19

Defenda-se do *Hacking* do seu Computador

Se você desse uma olhada na área de trabalho do laptop de Robbert van Els, acharia que ele deve ser algum tipo de agente secreto. A tela é uma explosão de arquivos urgentes, um verdadeiro centro de controle para administrar operações secretas. Um carro esportivo espiando por trás de uma muralha de documentos do Word e arquivos JPEG reforça o clima de James Bond. Basta olhar para a área de trabalho para sua pressão arterial subir.

Porém, Robbert van Els não é um agente secreto. Ele só é bagunçado.

Tudo indica que não há qualquer correlação entre o caos do computador de uma pessoa e o nível de aventura em sua vida. Qualquer pessoa pode se ver atolada em uma área de trabalho cheia de entulho. O problema é que essa desordem digital nos custa tempo, prejudica nosso desempenho e destrói a nossa concentração.

Conheci van Els em uma conferência na qual dei uma palestra sobre distrações digitais. Na época, ele estava à beira do colapso. Ele sabia que, se quisesse garantir o sucesso de sua empresa, precisaria retomar o controle de sua atenção. "Se eu tiver menos distrações, terei mais tempo para me focar", ele me disse. Depois fiquei sabendo que van Els levou minha palestra muito a sério e foi ainda mais longe. Ele postou no Facebook uma captura de tela de sua nova área de trabalho, contando:

"Faz um mês que estou testando este novo layout e está funcionando que é uma maravilha!"

Área de trabalho de Robbert van Els.

Van Els descobriu que uma área de trabalho lotada não só é uma enorme poluição visual como também sai caro. Para começar, há os custos cognitivos. Um estudo conduzido por pesquisadores da Universidade de Princeton constatou que as pessoas tiveram um desempenho insatisfatório em tarefas cognitivas quando objetos em seu campo de visão estavam em desordem em oposição a bem organizados.[1] O mesmo efeito se aplica ao espaço digital, de acordo com um estudo publicado no periódico acadêmico *Behavior & Information Technology*.[2]

Como você pode imaginar, nosso cérebro tem mais dificuldade de encontrar coisas no meio da bagunça. O resultado é que cada ícone, janela ou item da lista de favoritos atua como um lembrete inoportuno de coisas que precisamos fazer. Com tantos gatilhos externos, é fácil sair clicando sem pensar e nos desviar da tarefa em questão. De acordo com Sophie Leroy, da Universidade de Minnesota, passar de uma tarefa à outra reduz nossa concentração, deixando o que ela chama de "resíduo de atenção", que dificulta retornar à tarefa original depois de uma distração.³

Hoje, a área de trabalho de van Els não poderia ser mais minimalista. Ele substituiu a imagem chamativa do carro esportivo e as centenas de ícones por um fundo preto com os dizeres em letras brancas: "O que mais tememos costuma ser o que mais precisamos fazer".

Remover os gatilhos externos desnecessários da nossa linha de visão elimina a bagunça do nosso espaço de trabalho e livra a mente para se concentrar no que realmente importa.

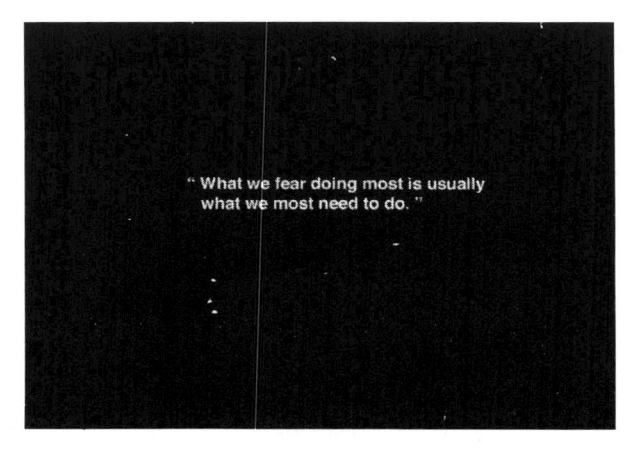

A área de trabalho de Robbert van Els hoje: inspiradora e livre de gatilhos.

Fiquei tão inspirado que decidi seguir o exemplo de van Els e fazer uma faxina também. Tirando um ou dois arquivos nos quais pretendo trabalhar durante a semana, coloquei todos os ícones da minha área de trabalho antes bagunçada em uma pasta que chamei de "Tudo" (muito original, eu sei). Nem preciso organizar os arquivos em pastas. Se eu precisar de um arquivo, uso a função "Pesquisar" para encontrá-lo. Agora, eu começo todos os dias de trabalho com uma tela em branco na tela do meu computador. (Você pode baixar o papel de parede indistraível no site NirAndFar.com/Indistractable.)

Porém, a minha campanha contra a bagunça não parou por aí. Decidi desativar todas as notificações da área de trabalho para não ser mais interrompido por gatilhos externos que só atrapalham. Para erradicar as notificações no meu Mac, fui ao painel de controle de "Preferências do sistema", cliquei em "Notificações" e desativei todas as notificações de todos os programas instalados.

Também fiz uma *gambiarra* na função "Não perturbe", programando para ativar o "Não perturbe" às 7h da manhã e desativá-lo um minuto antes (mantendo o recurso ativado praticamente 24 horas por dia). Com essas configurações, finalmente fiquei livre das notificações no meu computador. Medidas parecidas podem ser usadas no Windows usando a função "Assistente de foco", que também inclui a possibilidade de escolher pessoas que podem interrompê-lo, como o seu chefe.

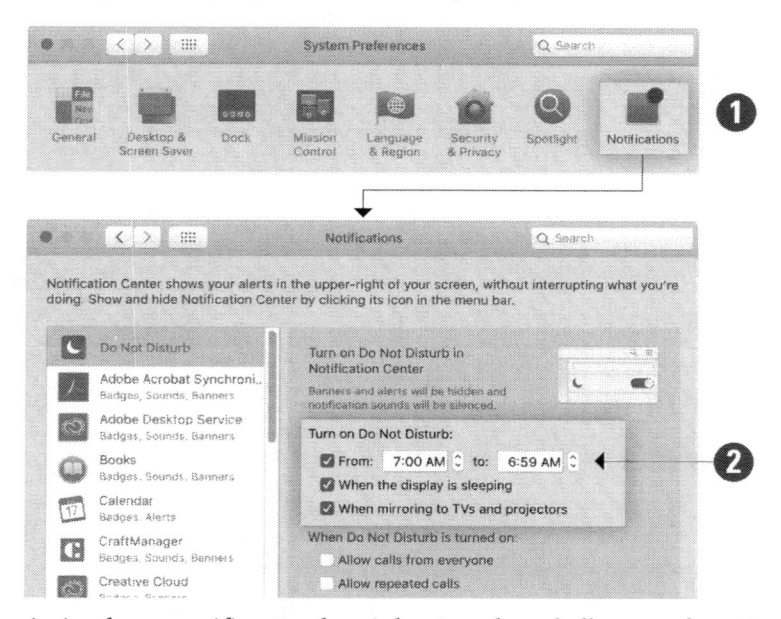

Desativei todas as notificações da minha área de trabalho e configurei meu laptop para ficar sempre no modo "Não perturbe".

Como van Els e eu, você verá que uma área de trabalho limpa o ajudará a aproximar-se da tração sempre que ligar o computador. Você poderá trabalhar em um espaço digital livre dos gatilhos que o distraem do que você realmente quer fazer.

> ## ▌ LEMBRE-SE DISSO
>
> - **A bagunça na área de trabalho é um verdadeiro destruidor da atenção e do foco.** Eliminar os gatilhos externos do seu espaço de trabalho digital o ajudará a manter o foco.
>
> - **Desative as notificações da área de trabalho.** Ao desabilitar as notificações do seu computador, você não se distrairá com gatilhos externos enquanto se concentra no trabalho.

Capítulo 20

Defenda-se do *Hacking* das Abas Abertas do seu Navegador de Internet

Se a internet tivesse uma voz, tenho quase certeza de que seria como o HAL 9000 do filme *2001: Uma Odisseia no Espaço*.

"Olá, Nir", ele me diria com sua voz grave e monótona. "É um prazer revê-lo. Como posso ajudar?"

"Internet, preciso encontrar algumas informações para um artigo que estou escrevendo", eu diria. "E preciso voltar ao trabalho logo depois. Não quero nenhuma distração desta vez."

"Naturalmente, Nir., mas já que você está aqui, não gostaria de dar uma olhada nas últimas notícias?"

"Não, internet", eu responderia. "Só estou aqui para encontrar informações bem específicas. Não posso me distrair."

"Naturalmente, Nir", a internet responderia. "Mas este artigo intitulado 'As 10 dicas de produtividade que você não pode deixar de saber' pode ser útil. Você não gostaria de clicar no link para ver do que se trata?"

"Interessante...", eu hesitaria. "Só vou dar uma passada de olhos e voltar ao trabalho."

Três horas depois, eu me daria conta do tempo que perdi clicando de um artigo ao outro e amaldiçoaria a internet por me sugar mais uma vez em seu buraco negro de conteúdo.

Eu não só estava desperdiçando meu tempo lendo artigos demais, como não raro acabava com dezenas, senão centenas, de abas abertas no meu navegador. Esses gatilhos externos não só aumentavam as minhas chances de me distrair no futuro como também travavam o meu computador e eu, muitas vezes, perdia todas as abas e, pior ainda, o trabalho que estava tentando fazer.

Até que adotei uma regra que me livrou de todos os problemas relacionados ao amontoado de abas abertas no meu navegador e de todas as distrações de vagar de um artigo ao outro pela internet:

Eu nunca leio artigos no meu computador.

Por ser um escritor, preciso usar a internet para fazer pesquisas. Todavia, sempre que encontro um artigo que me interessa, deixei de lê-lo imediatamente no navegador do computador. Programei exatamente *quando* e *como* leio os artigos, livrando-me da tentação de passar tempo demais lendo. Veja como:

Comecei instalando um aplicativo chamado Pocket[1] no meu celular e a extensão do aplicativo no navegador do meu laptop. Para seguir a regra de "nunca ler artigos no computador", eu simplesmente clico no botão do Pocket no navegador do meu computador sempre que encontro um artigo que gostaria de ler. O Pocket pega o texto da página da internet e o salva (livre de anúncios e qualquer outro conteúdo irrelevante) no aplicativo do celular.

Com isso, substituí meu antigo hábito de ler os artigos imediatamente na internet ou deixar um amontoado de abas abertas entupindo meu navegador pelo novo hábito de salvar os artigos para ler depois. Com esse novo comportamento, pude continuar lendo os artigos, mas me livrei da distração, sabendo que o conteúdo estaria são e salvo, esperando por mim.

E quando eu leria as centenas de artigos guardados? Eu não estava só transferindo o problema do computador ao celular? Este é um excelente exemplo dos benefícios de combinar a técnica do *timeboxing* com defender-se do *hacking* dos gatilhos externos.

Todos sabem que a multitarefa destrói a produtividade, não é mesmo? Todos nós estamos cansados de ouvir falar de estudos e ler artigos dizendo que é impossível fazer duas coisas ao mesmo tempo. Em alguns aspectos, isso é verdade. As evidências deixam bem claro que os seres humanos são péssimos em fazer duas tarefas complexas ao mesmo tempo. Em geral, cometemos mais erros ao tentar fazer malabarismos com muitas tarefas ao mesmo tempo, além de levar mais tempo para concluir as tarefas (às vezes até o dobro do tempo).² Os cientistas acreditam que esse tempo perdido e o desempenho reduzido ocorrem porque o cérebro precisa se empenhar para voltar a focar a atenção de uma tarefa a outra.

Todavia, se bem utilizada, a multitarefa nos permite maximizar nossa agenda sem exigir muito esforço a mais. Chamo isso de "multitarefa multicanal", um truque espetacular para aproveitar melhor o nosso dia. Para nos beneficiar da multitarefa, é importante conhecer as limitações do cérebro que nos impedem de fazer mais do que uma coisa ao mesmo tempo. Para começar, o cérebro tem uma capacidade de processamento limitada. Em outras palavras, quanto mais concentração uma tarefa requer, menos espaço o cérebro tem para realizar qualquer outra tarefa. É por isso que não conseguimos resolver dois problemas matemáticos ao mesmo tempo.

Em segundo lugar, o cérebro tem um número limitado de canais de atenção e só consegue processar um sinal sensorial por vez. Tente ouvir dois podcasts diferentes, um em cada ouvido. Você não vai conseguir entender um podcast sem ignorar mentalmente o outro.

No entanto, apesar de só sermos capazes de receber informações de uma fonte visual ou auditiva de cada vez, somos perfeitamente capazes de processar informações provenientes de canais diferentes, ou, em outras palavras, informações multicanais. Os cientistas chamam essa capacidade de "atenção intermodal" e ela permite ao nosso cérebro colocar determinados processos mentais no piloto automático enquanto nos ocupamos de outras coisas.[3]

Contanto que não precisemos nos concentrar demais em apenas um canal, podemos fazer mais de uma coisa ao mesmo tempo.

Estudos descobriram que as pessoas podem ter um desempenho melhor em algumas tarefas se tiverem vários estímulos sensoriais. Por exemplo, alguns tipos de aprendizagem são melhorados quando as pessoas também acionam seus sentidos auditivo, visual e tátil ao mesmo tempo. Um estudo recente descobriu que caminhar, mesmo se for devagar e na esteira, melhorou o desempenho em um teste de criatividade em comparação com participantes que ficaram sentados.[4]

Alguns tipos de tarefa multicanal combinam mais do que outras. Ao preparar e comer uma refeição saudável com os amigos, você pode nutrir seu corpo e ao mesmo tempo reforçar seus relacionamentos. Sair do escritório para uma longa caminhada enquanto fala ao telefone ou convidar um colega para fazer uma reunião caminhando dá conta de duas tarefas ao mesmo tempo. Ouvir um audiobook de não ficção indo para o trabalho é um bom exemplo de beneficiar-se ao máximo do tempo de transporte entre a casa e o trabalho para aprender alguma coisa. E ouvir um podcast ao cozinhar ou limpar a casa parece que ajuda o tempo a passar mais rápido.

Estudos constataram que outra forma de multitarefa multicanal pode ajudar as pessoas a entrar em forma. Katherine Milkman, da Faculdade de Administração Wharton da Universidade da Pensilvânia, mostrou que alavancar um comportamento *desejado* pode nos motivar a nos engajar em um comportamento *necessário*. Em seu estudo, Milkman deu aos participantes um iPod com um audiobook que eles só poderiam ouvir ao exercitar-se na academia.[5] Milkman escolheu livros como *Jogos Vorazes* e *Crepúsculo*, que a maioria das pessoas considera envolvente. Os resultados foram surpreendentes: "Os participantes que só tiveram acesso ao audiobook na academia foram 51% mais vezes à academia do que o grupo controle".[6]

A técnica de Milkman foi batizada de "agrupar a tentação" e pode ser aplicada sempre que quisermos usar as recompensas de um comportamento para incentivar outro. No meu caso, uso os artigos que guardo no Pocket como recompensas por me exercitar.

Sempre que vou à academia ou dou uma longa caminhada, o Pocket lê os artigos em voz alta para mim com o recurso de texto para fala.[7*] O recurso de leitura do Pocket é incrível e a voz da internet, que na minha cabeça soa tétrica como a do HAL 9000, foi substituída, para ler em inglês, por um sujeito britânico animado que lê para mim os artigos que guardei, sem anúncios.

Ler os artigos passou a ser uma pequena recompensa, muitas vezes me incentivando a malhar ou sair para uma caminhada enquanto satisfaço minha necessidade de estímulo intelectual e ao mesmo tempo me poupando da tentação de passar horas sentado ao computador lendo os artigos. Isso, meu caro leitor, é o que eu chamo de uma tripla vitória na nossa batalha contra a distração!

A multitarefa multicanal é uma tática pouco utilizada para fazer mais com o nosso tempo. Podemos incorporar essa técnica à nossa agenda para nos ajudar a cavar um tempo para a tração e agrupar a tentação para tornar as atividades, como exercitar-se ou limpar a casa, mais prazerosas.

Esse truque me livra da sedução de ler "só mais este artigo" ou deixar só mais uma aba aberta "para ler depois". Ao substituir meus maus hábitos

---

7[*] Nota da tradutora: O Pocket também está disponível em português do Brasil.

por novas regras e ferramentas, consigo aumentar minha produtividade e me manter afastado do apelo do HAL. Hoje, quando tenho vontade de continuar clicando nos artigos na internet, digo com uma voz robótica: "Sinto muito, internet, receio que não posso fazer isso".

▌ LEMBRE-SE DISSO

- **Os artigos na internet estão repletos de gatilhos externos que podem levar a distrações.** Abas abertas no nosso navegador podem nos desviar do caminho e tendem a nos sugar em um buraco negro de desperdício de tempo.
- **Imponha-se uma regra.** Salve os artigos que achar interessantes para ler depois usando um aplicativo como o Pocket.
- **Surpresa! Você pode fazer a multitarefa.** Use a multitarefa multicanal, como ouvir um audiobook ou podcast enquanto se exercita ou fazer reuniões caminhando.

Capítulo 21

Defenda-se do *Hacking* dos *Feeds* de Notícias

No metrô de Nova York, sempre me vejo cercado de uma multidão com os olhos grudados no celular rolando pelos *feeds* de mídias sociais tentando atingir aquela linha de chegada inexistente do *feed* de notícias antes de chegar à sua estação. As mídias sociais são uma fonte especialmente *diabólica* de distrações. Serviços como o Twitter, Instagram e Reddit foram criados para gerar gatilhos externos na forma de uma torrente interminável de notícias, atualizações e notificações.

O *feed* de notícias infinito do Facebook é um exemplo engenhoso de design comportamental e uma maneira espetacular que a empresa encontrou de explorar a tendência humana de viver em busca de novidades. Porém, o simples fato de o Facebook usar algoritmos sofisticados para nos manter grudados no celular não significa que não possamos nos defender. Descobri que a melhor maneira de retomar o controle é eliminar completamente o *feed* de notícias. Você acha impossível? Eu garanto que é absolutamente possível. Veja como.

Uma extensão gratuita de navegador chamada *News Feed Eradicator for Facebook* faz exatamente o que o nome promete: erradica o *feed* de notícias do Facebook. A extensão elimina a torrente interminável de gatilhos externos sedutores e a substitui por uma citação inspiradora.[1] Caso você não tenha curtido a ideia, outra extensão gratuita chamada Todobook substitui o *feed* de notícias do Facebook pela lista de tarefas do usuário. No lugar do *feed*, vemos as tarefas do dia e o *feed* de notícias só fica visível quando concluímos nossa lista de tarefas.[2] Ian McCrystal, fundador da Todobook, disse ao Mashable: "Eu adoro o *feed* de notícias, mas só quero ter uma relação mais saudável com ele... Eu queria um jeito de manter a produtividade e continuar tendo acesso às partes menos distrativas do Facebook". (Para ter acesso a links das minhas ferramentas favoritas para combater as distrações, visite o site NirAndFar.com/Indistractable.)

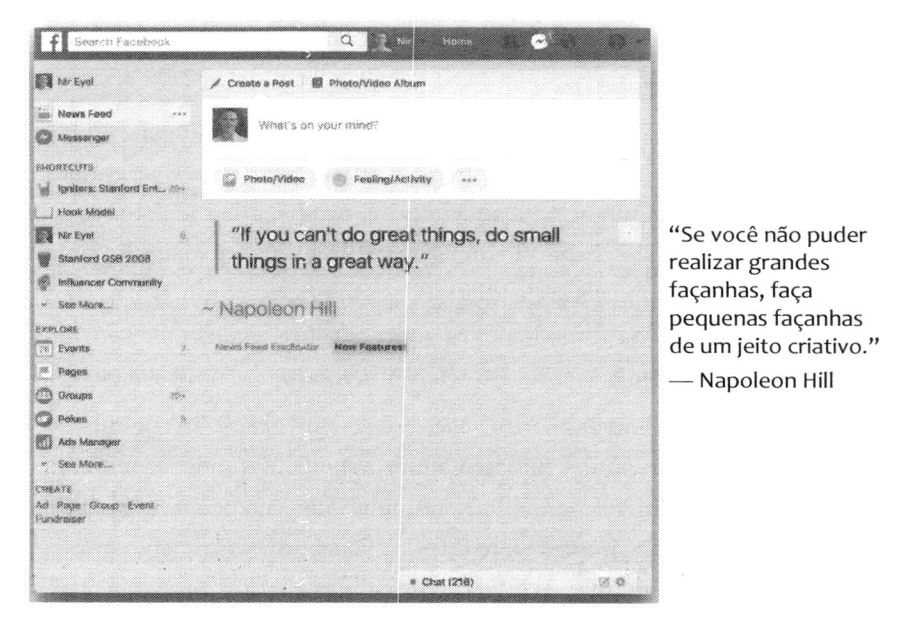

"Se você não puder realizar grandes façanhas, faça pequenas façanhas de um jeito criativo."
— Napoleon Hill

Você pode defender-se do hacking do Facebook removendo o feed de notícias.

Eu ainda uso o Facebook, mas só o uso do jeito que *eu* quero, e não do jeito que o Facebook quer que eu o use. Quando quero ver as atualizações de algum amigo ou participar de uma conversa em algum grupo do Facebook, vou direto à página que quero, sem precisar me expor à tentação de me perder no *feed* de notícias. Eu aloco um tempo na minha agenda para entrar no Facebook quase todo dia, mas livre do canto da sereia do *feed* de notícias. Com isso, posso entrar e sair em menos de quinze minutos.

Ferramentas como o Todobook podem ser usadas em vários outros serviços de mídias sociais, incluindo o Reddit e o Twitter e você pode usar ainda outra maneira de evitar as distrações nesses e em outros serviços de mídias sociais baseados em *feeds*: contornar o *feed* usando a lista de favoritos do seu navegador.

Por exemplo, digitar "LinkedIn.com" na barra de endereço do navegador o conduz ao *feed* do site, onde um fluxo interminável de notícias pode levá-lo a passar horas a fio rolando e clicando pelo *feed*. Nada me impediria de instalar uma extensão de navegador chamada Newsfeed Burner,[3] que elimina o *feed* do LinkedIn, mas eu gosto de algumas informações do site e quero ter acesso a parte do *feed*. Nesse caso, em vez de erradicar o *feed*, eu vou direto à página que me interessa quando visito o site, escolhendo um destino com menos gatilhos externos que possam me distrair.

Veja como funciona: no horário que agendei para as mídias sociais, clico em um botão no meu navegador para ativar uma extensão chamada Open Multiple Websites (abrir vários sites).[4] Como o nome sugere, o botão abre todos os URLs que eu especifiquei. Como não quero entrar no *feed* do LinkedIn.com, especifiquei o URL LinkedIn.com/messaging, onde posso ler e responder mensagens em vez de cair vítima das intermináveis distrações do *feed*. E com um único clique, a extensão também abre o Twitter.com/NirEyal, onde posso responder a comentários e perguntas sem precisar me expor ao *feed* não raro irritante e provocativo do Twitter.

Ao evitar o feed, tenho muito mais chances de fazer um uso consciente das mídias sociais e usar meu tempo para ter interações proativas com as pessoas.

Do mesmo modo como empresas como o Facebook e o LinkedIn exploram o design comportamental para nos manter grudados em seus serviços, o YouTube explora recursos psicológicos parecidos na forma de gatilhos externos de enorme apelo para nos incitar a continuar assistindo.

Enquanto você vê um vídeo, o algoritmo do YouTube entra em ação para prever o que você pode querer assistir em seguida, com base no tema do vídeo que você está vendo no momento e no seu histórico de vídeos assistidos.[5] O YouTube exibe uma lista de vídeos recomendados no lado direito da página, normalmente ao lado de anúncios de vídeos patrocinados direcionados a você. Como acontece com um *feed* de notícias, essas sugestões também são exibidas assim que você acessa a página inicial do YouTube, conduzindo-o a uma caça interminável a novos tesouros digitais. A função desses gatilhos externos é levá-lo a ver um vídeo após o outro.

Não vejo problema algum em passar um tempo no YouTube, tanto que tenho um tempo reservado para isso na minha agenda. Todavia, em vez de simplesmente deixar o YouTube escolher o próximo vídeo ou clicar em alguma outra sugestão atraente, uso alguns truques para só ver os vídeos que planejei ver.

Eu gosto de uma extensão grátis de navegador chamada DF Tube,[6] que elimina muitos dos gatilhos externos que acabam me distraindo e, com isso, me deixa ver um vídeo em paz. Descobri que ajuda muito remover as sugestões de vídeos e anúncios do YouTube.

Você pode defender-se do hacking do YouTube e evitar as distrações removendo as sugestões de vídeos e anúncios.

Contornar os incontáveis gatilhos externos das mídias sociais, como *feeds* de notícias e vídeos sugeridos, é um passo importantíssimo no nosso caminho para nos tornar indistraíveis. A ferramenta escolhida não faz muita diferença, mas a ideia é recuperar o controle sobre as nossas experiências em vez de permitir que as mídias sociais controlem o nosso tempo e atenção.

> ### 🔖 LEMBRE-SE DISSO
>
> - **Os *feeds*, como os *feeds* aqueles que podemos passar horas rolando nas redes sociais, são feitos para nos manter engajados.** Os *feeds* são repletos de gatilhos externos que podem nos distrair.
> - **Defenda-se recuperando o controle dos *feeds*.** Use extensões gratuitas de navegador, como o News *Feed* Eradicator for Facebook, o Newsfeed Burner, o Open Multiple Websites e o DF Tube para remover os gatilhos externos que levam a distrações. (Veja links para esses e outros serviços em NirAndFar.com/Indistractable.)

Parte 4

Faça Pactos para Evitar as Distrações

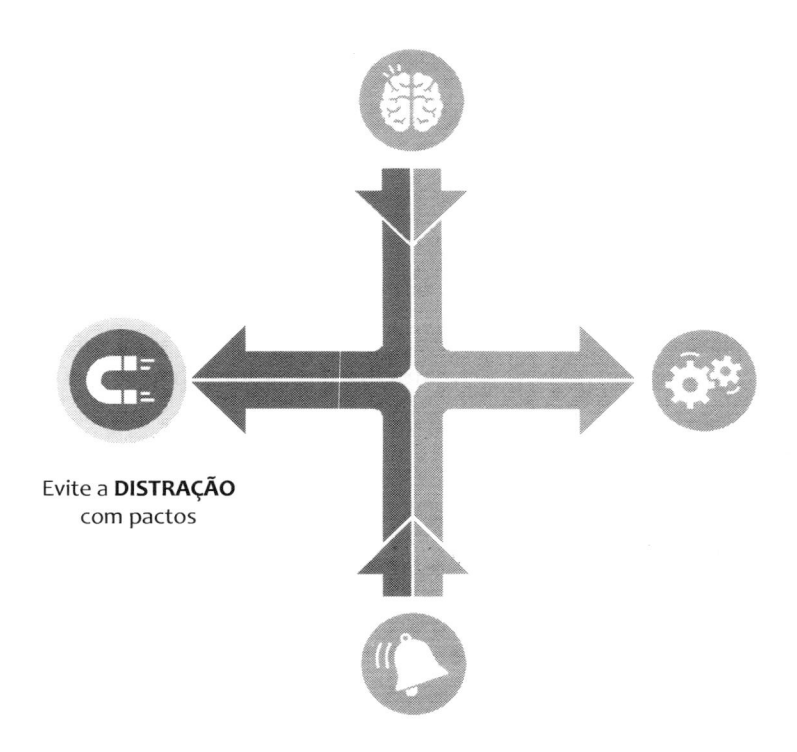

Evite a **DISTRAÇÃO**
com pactos

Capítulo 22

O Poder dos Pré-compromissos

Jonathan Franzen, o escritor que a revista *Time* descreveu como "o grande romancista americano", tem problemas com as distrações como todo mundo. Porém, a diferença entre Franzen e a maioria das pessoas é que ele toma medidas drásticas para se manter focado. De acordo com um artigo da *Time* sobre ele em 2010:

> *Ele usa um laptop da Dell pesadão e obsoleto e fez uma faxina para remover todos os vestígios de inutilidades, como o jogo de Paciência, que já vem pré--instalado no Windows, deixando praticamente só o sistema operacional. Franzen acredita na impossibilidade de escrever qualquer obra de ficção séria em um computador conectado à internet, ele não só removeu a placa wireless do laptop como também bloqueou permanentemente a porta do cabo de rede. "O que você tem de fazer", ele ensina, "é conectar um cabo de rede com Super Bonder e cortar toda a parte que fica de fora".*[1]

Os métodos de Franzen podem parecer radicais, mas situações desesperadas pedem medidas desesperadas. E Franzen não é o único a radicalizar. O famoso diretor Quentin Tarantino nunca escreve seus roteiros no computador, preferindo escrever à mão em um caderno.[2] A ganhadora do prêmio Pulitzer, Jhumpa Lahiri, escreve seus livros à mão e os passa a limpo em um computador sem internet.[3]

O que esses exemplos nos mostram é que o foco não só requer manter as distrações afastadas como também requer nos manter fazendo o que nos propusemos a fazer. Já aprendemos a dominar os gatilhos internos, arranjar tempo para a tração e nos defender do *hacking* dos gatilhos externos. Agora, o último passo para nos tornar indistraíveis requer evitar nos deixar seduzir pelas distrações. Para tanto, precisamos aprender uma excelente técnica conhecida como "pré-compromisso", que envolve remover uma possibilidade com o intuito de dominar nossa impulsividade.[4]

Os pesquisadores ainda estão estudando as razões para sua eficácia, mas o pré-compromisso na verdade é uma tática antiquíssima. Um dos pré-compromissos mais icônicos da história foi relatado na *Odisseia*. Na história, Ulisses precisa passar com seu navio e sua tripulação pela terra das sereias, que cantam uma canção sedutora para atrair os marinheiros. Na ânsia de ouvir melhor, os marinheiros naufragam seus navios na costa rochosa e perecem.

Sabendo do perigo adiante, Ulisses elabora um plano para evitar esse destino. Ele orienta seus homens a tapar os ouvidos com cera de abelha para eles não poderem ouvir o chamado das sereias. Todos seguem as ordens de Ulisses, menos ele, que deseja a experiência de ouvir a bela canção.

Todavia, ele sabe que terá a tentação de ir com o navio à costa rochosa ou pular no mar para aproximar-se das sereias. Para proteger-se, ele instrui a tripulação a amarrá-lo ao mastro do navio e diz que eles só poderiam libertá-lo ou mudar de rumo depois que o navio estivesse bem longe da terra das sereias, mesmo se ele implorasse para mudar as instruções. A tripulação segue as ordens de Ulisses e, quando o navio passa pela terra das sereias, a canção é tão sedutora que ele fica temporariamente ensandecido. Enfurecido, ele exige que os homens o desamarrem, mas, como não têm como ouvir as sereias nem o capitão, eles passam ilesos pelo perigo com o navio.

*Na Odisseia de Homero, Ulisses resiste à canção das sereias fazendo um pré-compromisso e evitando a distração.*⁵

A técnica, apelidada de "pacto de Ulisses", é "uma decisão voluntária, ponderada e destinada a comprometer-se com alguma ação no futuro" e é um tipo de pré-compromisso que continuamos aplicando até hoje.⁶ Por exemplo, nos pré-comprometemos com orientações para informar nossos médicos e familiares das nossas intenções caso percamos nossa capacidade de tomar decisões racionais. Nós nos pré-comprometemos com a nossa segurança financeira depositando dinheiro em contas de previdência privada que cobram altas taxas por saque antecipado para garantir que não gastemos os fundos dos quais sabemos que vamos precisar mais tarde. Nós ansiamos pela promessa de fidelidade que acompanha um relacionamento vitalício vinculado ao contrato do casamento.

Esses pré-compromissos são eficazes porque consolidam as nossas intenções quando temos condições de pensar com clareza e reduz as nossas chances de nos prejudicar no futuro. Assim como fazemos pré-compromissos em outras áreas da vida, podemos usá-los na nossa luta contra as distrações.

O melhor momento para fazer um pré-compromisso é depois de passar pelas três primeiras etapas do Modelo Indistraível.

Como vimos na Parte 1, é indispensável começar lidando com os gatilhos internos que nos levam à distração. E, se não tivermos reservado um tempo para tração, como vimos na Parte 2, nossos pré-compromissos de nada valerão. E, por fim, um pré-compromisso terá pouca utilidade se não removermos os gatilhos externos que não estão trabalhando para nós. Os pré-compromissos são a última linha de defesa que nos impede de cair na tentação das distrações. Nos próximos capítulos, veremos os três tipos de pré-compromisso que podemos usar para nos manter no caminho certo.

▎ LEMBRE-SE DISSO

- **Ser indistraível não requer apenas afastar as distrações.** Também precisamos aprender a nos conter.
- **Os pré-compromissos podem reduzir nossas chances de nos distrair.** Eles nos ajudam a nos ater às nossas decisões.
- **Os pré-compromissos só devem ser usados depois de aplicar as outras três estratégias para se tornar uma pessoa indistraível.** Não pule as três primeiras etapas.

Capítulo 23

Evite as Distrações Fazendo Pactos de Esforço

Os inventores David Krippendorf e Ryan Tseng inventaram um jeito simples de impedir o hábito de assaltar a geladeira de madrugada. O dispositivo que eles inventaram, o kSafe (antes chamado de Kitchen Safe), é um recipiente plástico com uma trava equipada com um timer.

A ideia é guardar as maiores tentações (como os biscoitos Oreo que eu tanto adoro) no kSafe, que ficará trancado até um determinado horário definido pelo usuário. É claro que nada nos impede de destruir o recipiente com uma marreta ou sair correndo para comprar biscoitos, mas esse esforço adicional reduz a probabilidade dessas opções. O conceito foi considerado tão interessante que a invenção foi apresentada no reality show *Shark Tank* e hoje o produto tem quase quatrocentas avaliações de cinco estrelas na Amazon.[1]

O kSafe é um exemplo de um pré-compromisso. Especificamente, o conceito demonstra a eficácia de um "pacto de esforço", um tipo de pré-compromisso que envolve aumentar o esforço necessário para realizar uma ação indesejável. Esse tipo de pré-compromisso pode nos ajudar a nos tornar indistraíveis.

Um pacto de esforço impede a distração, dificultando os comportamentos indesejáveis.

Hoje em dia, uma profusão de novos produtos e serviços disputa para nos ajudar a fazer pactos de esforço com os nossos dispositivos digitais. Sempre que escrevo no meu laptop, por exemplo, clico no aplicativo SelfControl[2], que bloqueia meu acesso a uma série de sites que tendem a me distrair, como o Facebook e o Reddit, bem como a minha conta de e-mail. Posso configurar o aplicativo para bloquear esses sites pelo tempo que eu precisar, normalmente em incrementos de quarenta e cinco minutos a uma hora. Outro aplicativo, chamado Freedom[3], é um pouco mais sofisticado e bloqueia distrações potenciais não só no meu computador como também nos dispositivos móveis.

Um dos meus aplicativos favoritos e que uso quase todos os dias para me blindar contra as distrações é o Forest.[4] Sempre que quero fazer um pacto de esforço comigo mesmo para evitar as distrações no celular, abro o aplicativo Forest e configuro o tempo que quero passar sem usar o celular. Assim que clico no botão "Plantar", uma mudinha de árvore aparece na tela e um cronômetro começa a contagem regressiva. Se eu tentar fazer alguma coisa no meu celular antes de o tempo acabar, minha árvore virtual morre. A ideia de matar minha arvorezinha virtual, um lembrete visível do pacto que fiz comigo mesmo, acaba me dissuadindo de usar o celular.

A Apple e o Google também estão entrando na campanha contra as distrações digitais incluindo pactos de esforço em seus sistemas operacionais. O iOS 12 da Apple permite que os usuários configurem restrições de tempo para determinados aplicativos por meio do recurso "Downtime", traduzido em português como "Repouso".[5] Se os usuários tentarem acessar um aplicativo configurado nos horários especificados, o celular exigirá um passo adicional para confirmar que eles querem mesmo violar o pacto. As versões mais recentes do Android do Google incluem recursos de "Bem-estar digital" que oferecem funcionalidades parecidas.

Incluir um pequeno esforço a mais nos obriga a nos perguntar se a distração realmente vale a pena. Seja com a ajuda de um produto como o kSafe ou um aplicativo como o Forest, os pactos de esforço não se restringem a pactos que você faz consigo mesmo. Outra maneira altamente eficaz de aplicar a técnica envolve fazer pactos com outras pessoas.

O aplicativo Forest é um jeito simples de fazer um pacto de esforço no seu celular.

Antigamente, a pressão social nos ajudava a concluir as tarefas. Antes do advento do computador pessoal, o escritório inteiro podia ver que estávamos procrastinando só pelo tamanho da pilha de papéis na nossa mesa. Quando nossos colegas nos pegavam lendo uma revista esportiva ou de moda ou contando todos os detalhes do nosso fim de semana a um amigo ao telefone, ficava claro que estávamos fazendo corpo mole.

Hoje em dia, por outro lado, poucas pessoas têm como saber o que estamos vendo ou em que estamos clicando no escritório. Debruçados sobre nossos laptops, podemos passar o dia inteiro no trabalho checando o placar do jogo da noite anterior, rolando por *feeds* de notícias ou lendo fofocas sobre celebridades. Para um colega que passa, poderíamos muito bem estar fazendo uma pesquisa sobre os concorrentes ou escrevendo um e-mail para um cliente potencial. Escondida na privacidade das nossas telas, a pressão social para nos focar nas tarefas desaparece.

O problema piora ainda mais se trabalhamos em casa. Como eu costumo trabalhar em casa, é muito fácil me distrair quando sei que deveria estar escrevendo. Será que não seria interessante voltar a incluir um pouco de pressão social quando estou tendo dificuldade de me concentrar? Decidi testar a hipótese convidando meu amigo Taylor, que também é escritor, para trabalhar comigo no mesmo ambiente. Passamos a maioria das manhãs trabalhando na mesma sala na minha casa e concordamos em nos focar por períodos ininterruptos de 45 minutos. Ao vê-lo dando duro no trabalho, especialmente quando parecia que eu estava perdendo o gás, e sabendo que ele podia me ver, eu me forçava a me focar no que eu tinha a fazer. Agendar um tempo para fazer um trabalho focado com um amigo foi uma excelente maneira de me comprometer a dar conta das tarefas que considero mais importantes.

Mas e se você não tiver um colega com uma agenda compatível? Quando Taylor teve de passar uma semana em outra cidade para dar uma palestra e participar de uma conferência, precisei recriar a experiência de firmar um pacto de esforço com alguém. Foi então que encontrei o Focusmate. Com o objetivo de ajudar pessoas ao redor do mundo a se manter focadas, o site facilita pactos de esforço entre as pessoas usando um serviço de videoconferência.

Enquanto Taylor estava viajando, inscrevi-me no Focusmate.com e o site me conectou a um estudante de Medicina tcheco, chamado Martin. Como eu sabia que ele estaria me esperando para trabalhar no nosso horário marcado, eu não queria deixá-lo na mão. Enquanto Martin se focava em decorar detalhes da anatomia humana, eu me focava em escrever. Para dissuadir as pessoas de faltar aos horários agendados, os participantes são convidados a avaliar seu companheiro de foco no site.[8*]

Os pactos de esforço reduzem as nossas chances de abandonar as tarefas que queremos realizar. Seja firmando pactos com amigos e colegas ou usando ferramentas como o Forest, SelfControl, Focusmate ou kSafe, os pactos de esforço são um jeito simples mas muito eficaz de nos afastar das distrações.

▎ LEMBRE-SE DISSO

- **Um pacto de esforço nos afasta das distrações dificultando comportamentos indesejáveis.**

- **Hoje em dia, com computadores e dispositivos móveis, a pressão social para nos focar nas tarefas é praticamente inexistente.** Como ninguém tem como ver o que você está fazendo, fica muito fácil fazer corpo mole. O pacto de esforço de trabalhar ao lado de um colega ou amigo por um tempo definido pode ter resultados espetaculares.

- **Você pode usar a tecnologia para ficar longe da tecnologia.** Aplicativos como o SelfControl, o Forest e o Focusmate podem ajudá-lo a firmar pactos de esforço.

[8*] Eu gostei tanto do serviço que decidi investir na Focusmate.

Capítulo 24

Evite as Distrações Fazendo Pactos de Preço

Um pacto de preço é um tipo de pré-compromisso que envolve apostar dinheiro para nos encorajar a fazer o que nos propomos a fazer. Se você fizer o que pretende fazer, pode ficar com o dinheiro. Caso contrário, perde a aposta e o dinheiro. Pode parecer uma crueldade, mas os resultados são impressionantes.

Um estudo publicado no *New England Journal of Medicine* demonstrou o poder dos pactos de preço analisando três grupos de fumantes que tentavam abandonar o tabagismo.[1] No estudo, um grupo de controle recebeu informações educacionais e métodos tradicionais, como adesivos de nicotina gratuitos, para incentivar os participantes a parar de fumar. Seis meses depois, 6% das pessoas do grupo de controle tinham parado de fumar. No segundo grupo, chamado de "grupo da recompensa", os pesquisadores ofereceram US$ 800 para os participantes que parassem de fumar depois de seis meses e 17% conseguiram.

Porém, foram os participantes do terceiro grupo que apresentaram os resultados mais interessantes. Nesse grupo, chamado de "grupo do depósito", os participantes foram solicitados a fazer um depósito de pré-compromisso no valor de US$ 150 do próprio bolso acompanhado da promessa de parar de fumar em até seis meses. Se, e somente se, atingissem seu objetivo, eles receberiam os US$ 150 de volta.

Além de recuperar seu dinheiro, os participantes que conseguissem parar de fumar no prazo estipulado também receberiam um prêmio de US$ 650 (diferente dos US$ 800 oferecidos aos participantes do "grupo da recompensa").

Os resultados foram surpreendentes. Dos participantes que toparam o desafio do depósito, nada menos que 52% conseguiram atingir o objetivo! Seria de se imaginar que uma recompensa maior deveria motivar mais as pessoas, mas por que a perspectiva de ganhar a recompensa de US$ 800 foi menos eficaz que a possibilidade de ganhar a recompensa de US$ 650 mais o depósito de US$ 150? Será que os participantes do grupo do depósito já não começaram mais motivados a parar de fumar? Para evitar esse viés potencial, os pesquisadores só usaram dados de fumantes dispostos a participar em qualquer um dos três grupos de teste.

Ao explicar os resultados, um dos autores do estudo escreveu que "as pessoas normalmente são mais motivadas a evitar perdas do que a buscar ganhos". Em outras palavras, a dor de perder é maior que o prazer de ganhar. Essa tendência irracional, conhecida como "aversão à perda", é um pilar da economia comportamental.

Aprendi a alavancar a tendência natural da aversão à perda para me beneficiar. Alguns anos atrás, eu estava muito frustrado com todas as desculpas que estava dando para não me exercitar. Na época, não podia ser mais fácil frequentar a academia, que ficava no prédio onde eu morava. Eu não tinha como culpar o trânsito nem o preço abusivo das mensalidades simplesmente porque qualquer morador podia usar a academia de graça. Até dar uma longa caminhada seria melhor do que não fazer nada. Mesmo assim eu sempre conseguia encontrar uma desculpa para não me exercitar.

Até que decidi fazer um pacto de preço comigo mesmo. Depois de usar a técnica do *timeboxing* para marcar um horário regular na minha agenda, colei uma nota novinha de cem dólares no calendário ao lado da data da minha próxima sessão de exercícios. Em seguida, comprei um isqueiro de noventa e nove centavos e o deixei por perto. Todo dia, eu tinha uma escolha a fazer: eu queimaria as calorias me exercitando ou queimaria a nota de cem dólares. A menos que eu estivesse muito doente, essas eram as únicas duas opções que eu me permitia.

Sempre que me pegava pensando em alguma desculpa, aquele gatilho externo me lembrava do pré-compromisso que fiz comigo mesmo e com a minha saúde. Eu sei o que você está pensando: "Mas isso é radical demais! Eu não tenho dinheiro sobrando para queimar!" É exatamente essa a ideia. Passei mais de três anos usando essa técnica do "queimar ou queimar" e ganhei seis quilos de massa muscular sem nunca ter de queimar a nota de cem dólares.

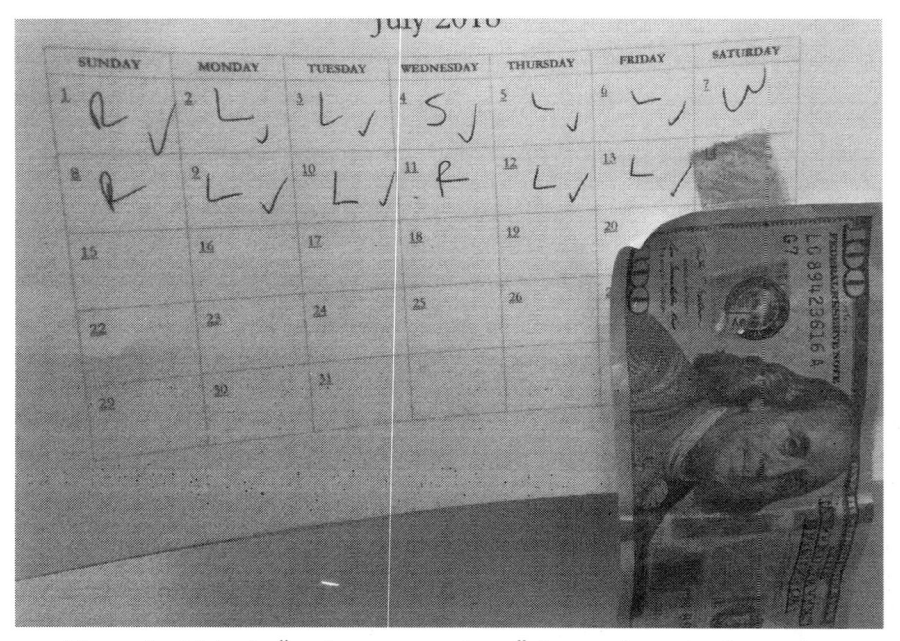

Meu calendário do "queimar ou queimar" é uma das primeiras coisas que vejo de manhã. Ele me lembra de que eu preciso queimar calorias ou queimar a nota de cem dólares.[9*]

[9*] Caso você estiver curioso, R significa "corrida" (run), L significa "levantar pesos" (lift), S significa "corrida rápida" (sprint), W significa caminhada (walk) e a marca de verificação indica que eu escrevi nesse dia.

Como exemplifiquei com o meu método do "queimar ou queimar", um pacto de preço nos obriga a agir atribuindo um preço à distração. Porém, um pacto de preço não precisa se restringir a objetivos como parar de fumar, perder peso ou malhar na academia. Na verdade, ele também me ajuda a atingir meus objetivos profissionais. Depois de passar quase cinco anos pesquisando para este livro, eu sabia que já tinha chegado a hora de começar a escrever, mas estava tendo dificuldade de escrever todos os dias e passei a me enterrar em mais pesquisas, tanto on-line quanto off-line. Pior ainda, eu me colocava a apenas alguns cliques de distância de consumir conteúdos totalmente irrelevantes para os meus objetivos. Eu simplesmente não estava conseguindo obter a tração.

Depois de incontáveis tentativas frustradas de começar a escrever, capítulos por terminar e esboços incompletos, decidi fazer um pacto de preço para me forçar a atingir meu objetivo de terminar este livro.

Pedi a um amigo, Mark, para me ajudar a fazer cumprir meu pacto de preço. Se eu não terminasse o primeiro manuscrito deste livro até uma determinada data, eu teria de lhe pagar US$ 10.000. Eu ficava nervoso só de pensar na ideia. Se eu perdesse o dinheiro, teria de abrir mão da viagem que estava planejando para comemorar meu quadragésimo aniversário; não poderia comprar a escrivaninha ergonômica que eu estava poupando para comprar; e, pior ainda, não teria concluído este livro, um objetivo que eu estava desesperado para atingir.

O pacto de preço funciona por adiantar a dor da perda para o momento presente, em oposição a um futuro distante. Você pode definir qualquer valor para o pacto, desde que seja uma quantia dolorosa de perder. No meu caso, o pacto de preço funcionou que foi uma beleza porque o simples fato de saber que eu tinha tanto a perder me forçou a produzir como nunca. Eu me comprometi com pelo menos duas horas, seis dias por semana, escrevendo livre de distrações, usei o *timeboxing* para incluir esse compromisso na minha agenda e arregacei as mangas.

No fim, consegui manter meu dinheiro (e pude viajar e comprar minha tão ambicionada mesa ergonômica) e você está lendo o resultado do meu trabalho.

A estas alturas, você pode estar achando que os pactos de preço são uma blindagem impenetrável contra as distrações. O que nos impede de elevar tanto o custo da distração a ponto de nos manter sempre no caminho certo? A verdade é que os pactos de preço não funcionam para todo mundo nem em todas as situações. Embora essa abordagem possa ser altamente eficaz, ela tem suas limitações. Para nos beneficiar ao máximo dos pactos de preço, precisamos conhecer suas armadilhas e nos planejar para evitá-las:

ARMADILHA 1: OS PACTOS DE PREÇO NÃO SÃO BONS PARA MUDAR COMPORTAMENTOS ASSOCIADOS A GATILHOS EXTERNOS INEVITÁVEIS

Alguns comportamentos são mais difíceis de mudar usando pactos de preço. Esse tipo de pré-compromisso não é recomendado quando for impossível remover o gatilho externo associado ao comportamento.

Por exemplo, é dificílimo se livrar do hábito de roer as unhas porque a pessoa sente vontade de fazer isso sempre que se conscientiza de suas mãos. Comportamentos repetitivos e voltados ao corpo como esse não são bons candidatos para os pactos de preço. Também não faz muito sentido tentar concluir um projeto importante que requer um foco intenso trabalhando ao lado de um colega que insiste em mostrar as fotos mais recentes de seu cachorrinho. Os pactos de preço só funcionam quando for possível ignorar ou remover os gatilhos externos.

ARMADILHA 2: OS PACTOS DE PREÇO SÓ DEVEM SER USADOS PARA TAREFAS CURTAS

Os pactos de preço, como a minha técnica do "queimar ou queimar", são eficazes quando a tarefa requer um empurrãozinho rápido, como, por exemplo, para nos motivar a ir à academia, passar duas horas fazendo um trabalho focado ou "surfar na onda do impulso" até o *craving* de fumar passar. Se passarmos tempo demais comprometidos com um pacto, começamos a associá-lo com uma punição, o que pode ter efeitos contraproducentes, como nos ressentir da tarefa ou da meta.

ARMADILHA 3: É ATERRORIZANTE ENTRAR EM UM PACTO DE PREÇO

Mesmo sabendo da eficácia da abordagem, a maioria das pessoas tem muito medo de fazer um pacto de preço. Posso dizer que foi o que aconteceu comigo no começo! Não foi fácil me comprometer com o meu esquema do "queimar ou queimar" porque eu sabia que isso me imporia a chateação de ir à academia. E devo admitir que suei frio quando apertei a mão de Mark e me comprometi a terminar meu manuscrito em um determinado prazo. Foi só depois que me dei conta de que não fazia muito sentido resistir a uma técnica de estabelecimento de metas que tem o potencial de aumentar tanto as chances de sucesso.

Vença o medo inicial de comprometer-se com um pacto de preço.

ARMADILHA 4: OS PACTOS DE PREÇO NÃO FUNCIONAM BEM COM PESSOAS QUE TENDEM A SE CRITICAR OU SE CULPAR

Embora o estudo discutido acima tenha sido um dos experimentos de combate ao tabagismo de maior sucesso já conduzidos, 48% dos participantes do "grupo do depósito", que fizeram um depósito de pré-compromisso, não atingiram a meta. Não é fácil mudar o comportamento e as pessoas nem sempre conseguem de primeira. Qualquer programa voltado a mudar um comportamento arraigado deve levar em conta que, por alguma razão, alguns de nós não seremos capazes de nos ater ao programa. É fundamental saber como se recuperar do fracasso. Como vimos no Capítulo 8, para voltar ao caminho certo, é importante ver os tropeços com autocompaixão e não autocrítica. Se você decidir tentar a abordagem do pacto de preço, seja gentil consigo mesmo e saiba que nada o impede de ajustar o programa e tentar de novo.

Nenhuma dessas quatro armadilhas neutraliza os benefícios de um pacto de preço. Pelo contrário, elas não passam de pré-requisitos para garantir a escolha da ferramenta certa para a situação. Quando usados do jeito certo, os pactos de preço podem ser uma excelente maneira de manter o foco em uma tarefa difícil ao atribuir um custo à distração.

★ LEMBRE-SE DISSO

- **Um pacto de preço atribui um custo à distração.** Constatou-se que essa abordagem atua como um excelente motivador.

- **Os pactos de preço são mais eficazes quando for possível remover os gatilhos externos que levam à distração.**

- **Os pactos de preços funcionam melhor quando a distração é temporária.**

- **Pode ser difícil começar um pacto de preço.** Tendemos a hesitar em nos comprometer com um pacto de preço porque sabemos que realmente teremos de fazer o que temos tanto medo de fazer.

- **Aprenda ser compassivo consigo mesmo antes de fazer um pacto de preço.**

Capítulo 25

Evite as Distrações Fazendo Pactos de Identidade

Uma das melhores maneiras de mudar nosso comportamento é mudar nossa identidade. Não estou falando de entrar em um programa de proteção a testemunhas ou virar um agente secreto. Pelo contrário, como a psicologia moderna confirma, pequenas alterações na maneira como nos vemos podem afetar enormemente as nossas ações.

Vejamos um experimento conduzido por um grupo de psicólogos da Universidade de Stanford em 2011.[1] Um jovem pesquisador chamado Christopher Bryan bolou um estudo para testar os efeitos de induzir os participantes a se ver de maneiras ligeiramente diferentes. Ele começou fazendo a dois grupos de eleitores perguntas sobre a próxima eleição. As perguntas recebidas pelo primeiro grupo incluíram o verbo "votar" (como "Até que ponto você acha importante votar?"). O segundo grupo recebeu perguntas parecidas que incluíam o substantivo "eleitor" (como "Até que ponto você acha importante ser um eleitor?"[2] A diferença pode parecer insignificante, mas os resultados foram extraordinários.

Para medir o efeito dessa pequena mudança no vocabulário, os pesquisadores perguntaram aos participantes se eles pretendiam ou não votar nas próximas eleições (lembrando que nos Estados Unidos, o voto não é obrigatório) e consultaram os registros públicos das eleições para ver se eles mudaram ideia. Os resultados apresentaram "alguns dos maiores efeitos experimentais já observados sobre a taxa de votação objetivamente mensurada dos eleitores", escreveram Bryan e seus coautores em um estudo publicado na *Proceedings of National Academy of Sciences*.[3] Eles constataram que os participantes do grupo que respondeu a perguntas sobre ser um "eleitor" foram muito mais propensos a votar nas próximas eleições do que os participantes que responderam perguntas sobre sua probabilidade de "votar".

As constatações foram tão surpreendentes que os pesquisadores replicaram o experimento em outra eleição para confirmar sua validade. Os resultados foram os mesmos: o grupo do substantivo "eleitor" votou muito mais do que o grupo do verbo "votar".

Bryan concluiu: "As pessoas podem ser mais propensas a votar quando o voto é representado como uma expressão de quem elas são — como um símbolo do caráter fundamental da pessoa — e não apenas como um comportamento".

Nossa autoimagem afeta consideravelmente o nosso comportamento e tem implicações que vão muito além da cabine de votação. A identidade é outro atalho cognitivo que ajuda nosso cérebro a tomar decisões que de outra forma seriam difíceis, agilizando, assim, o processo decisório.

Nossa percepção de quem somos muda as nossas ações.

O modo como nos vemos também afeta profundamente o modo como lidamos com as distrações e comportamentos indesejáveis. Um estudo publicado no *Journal of Consumer Research* testou palavras que as pessoas usam diante de uma tentação.[4] No experimento, um grupo foi instruído a usar as palavras "Eu não posso comer isso" ao pensar em alimentos não saudáveis enquanto o outro grupo foi orientado a usar as palavras "Eu não como isso". Ao fim do estudo, os pesquisadores deram aos participantes a opção de pegar uma barra de chocolate ou uma barrinha de cereais em agradecimento pela participação. Quase o dobro de pessoas do grupo "Eu não como isso" escolheu a opção mais saudável.

Os autores do estudo atribuíram a diferença ao "empoderamento psicológico" resultante de dizer "Eu não como isso" em vez de dizer "Eu não posso comer isso". Os resultados foram semelhantes aos do estudo da votação. Pensar em termos de "Eu não posso" tem a ver com o comportamento, ao passo que pensar em termos de "Eu não como" diz respeito a quem a pessoa é.

Para alavancar o poder que a identidade tem de evitar as distrações, podemos firmar o que eu chamo de "pacto de identidade", um pré-compromisso com uma autoimagem que nos ajuda a atingir nossos objetivos.

Como diz a velha piada: "Como saber se uma pessoa é vegetariana?" A resposta: "Não se preocupe, ela vai dar um jeito de dizer". Você pode substituir a palavra "vegetariano" por qualquer outra caracterização, desde maratonista a soldado, que a piada continuará válida.

Eu fui um vegetariano por cinco anos. Como qualquer indivíduo que é ou já foi vegetariano sabe, os amigos vivem perguntando: "Você não sente falta de comer carne? Mas é tão gostoso!" É claro que eu sentia falta de comer carne! Todavia, quando comecei a me considerar um vegetariano, alguma coisa aconteceu que comidas que antes eu adorava de repente passaram a ser intragáveis para mim. O que mudou foi a minha definição de mim mesmo. Não era que eu *não podia* comer carne. Eu era um vegetariano e os vegetarianos *não comem* carne.

Apesar de eu estar restringindo minhas opções, o pacto de identidade me ajudou a deixar de comer carne. Em vez de ser uma chateação ou um fardo, comer carne passou a ser algo que eu simplesmente não fazia, da mesma forma como os muçulmanos praticantes não bebem e os judeus devotos não comem carne de porco... eles simplesmente não fazem isso.

Ao alinhar nossos comportamentos com a nossa identidade, fazemos escolhas com base em quem acreditamos ser.

Com isso em mente, qual identidade devemos assumir para nos ajudar a combater a distração? A estas alturas já deve estar claro por que o título deste livro é *(In)distraível*. Bem-vindo ao seu novo eu! Ao se ver como uma pessoa indistraível, a sua nova identidade lhe dará novos poderes. Você também pode usar essa identidade para justificar suas "esquisitices", como planejar meticulosamente o seu tempo, recusar-se a responder imediatamente às notificações ou colocar uma plaquinha no monitor quando não quiser ser incomodado. Esses atos não são mais incomuns do que outras expressões de identidade, como usar símbolos religiosos ou seguir uma determinada dieta. Está na hora de ser indistraível e orgulhar-se disso!

Anunciar a sua nova identidade é uma excelente maneira de consolidar seu pacto. Você já reparou que muitas religiões incentivam os adeptos a evangelizar suas crenças? O trabalho missionário é uma maneira de conquistar novos adeptos, mas, psicologicamente falando, a evangelização faz mais do que converter os infiéis. De acordo com vários estudos recentes, evangelizar pode afetar muito a motivação e a conformidade do evangelizador. As pesquisadoras Lauren Eskreis-Winkler e Ayelet Fishbach realizaram experimentos com diversos grupos, de desempregados em busca de emprego a crianças com dificuldades na escola. Os resultados mostram repetidamente que ensinar motiva mais o professor a mudar o *próprio* comportamento do que se o professor aprendesse com algum especialista.[5]

Porém, quem somos nós para ensinar algo que ainda não aprendemos? Quem somos nós para sair pregando a palavra sabendo que estamos longe de ser perfeitos? Estudos mostram que ensinar pode ser ainda mais eficaz para mudar o nosso comportamento quando admitimos nossas próprias dificuldades.[6] Como Eskreis-Winkler e Fishbach observam no *MIT Sloan Management Review*, quando as pessoas admitem que erraram, elas têm a possibilidade de ver o que deu errado sem que isso resulte em uma autoimagem negativa.[7] Pelo contrário, ensinar nos possibilita criar uma identidade diferente da mesma forma como ajudar as pessoas nos ajuda a evitar cometer os mesmos erros.

Outra maneira de reforçar nossa identidade é por meio de rituais. Vamos voltar ao exemplo da religião. Muitas práticas religiosas não são fáceis, pelo menos não para quem vê de fora. Orar cinco vezes por dia em direção a Meca ou recitar as bênçãos prescritas antes de todas as refeições requer empenho. Mesmo assim, para os praticantes mais ortodoxos, essas rotinas são algo que eles simplesmente seguem, invariavelmente e sem questionamento. E se pudéssemos mobilizar um pouco dessa dedicação para nos ajudar a fazer tarefas difíceis? Imagine como seria ter o poder de concentrar-se no que quiser com a disciplina de um fiel fervoroso.

Pesquisas recentes sugerem que rituais não religiosos, no trabalho e na vida, podem ter grandes efeitos. Um estudo conduzido pela professora Francesca Gino da Faculdade de Administração da Harvard e seus colegas investigou os efeitos dos rituais sobre o autocontrole ao analisar pessoas que tentavam perder peso.[8] O primeiro grupo do estudo foi solicitado a se conscientizar do que comia durante cinco dias. O segundo grupo aprendeu um ritual de três etapas a ser seguido antes das refeições: primeiro, eles deveriam cortar a comida; segundo, organizar os pedaços simetricamente no prato; e terceiro, bater três vezes na comida com os talheres antes de comer. Pode parecer bobagem, mas o ritual revelou uma eficácia surpreendente. Os participantes do estudo que seguiram o ritual consumiram, em média, menos calorias, menos gordura e menos açúcar do que os participantes do "grupo consciente".

Gino acredita que os rituais "podem parecer uma mera perda de tempo. Contudo, como nossa pesquisa sugere, eles são bastante eficazes". Ela prossegue: "Mesmo quando não estão arraigados em anos de tradição, rituais simples podem nos ajudar a desenvolver a disciplina e o autocontrole".[10*]

10[*] Embora os rituais possam ajudar pessoas em busca de aumentar o autocontrole, eles não são recomendáveis para todas as pessoas. Os comportamentos ritualísticos envolvendo a comida não são recomendados para pessoas que sofrem com algum tipo de transtorno alimentar.

Costumamos achar que as nossas crenças influenciam os nossos comportamentos, mas o contrário também é verdadeiro.[9]

Evidências da importância dos rituais confirmam a ideia de manter uma agenda regular, como vimos na Parte 2. Quanto mais nos atemos aos nossos planos, mais reforçamos a nossa identidade. Também podemos incorporar rituais à nossa vida para nos ajudar a nos lembrar da nossa identidade. Por exemplo, eu tenho um ritual de repetir uma série de "mantras" todo dia de manhã. Eu os colecionei ao longo dos anos e os repito antes de começar a trabalhar todos os dias. Uma leitura rápida dessas pérolas de sabedoria indistraível, como a citação de William James "A arte de ser sábio é a arte de saber o que ignorar", usa o poder do ritual para reforçar a minha identidade.[10]

E o ritual também me ajuda a me rotular como uma pessoa indistraível. Por exemplo, quando trabalho em casa, anuncio à minha esposa e filha que estou indistraível antes de começar um período de trabalho focado. Como vimos no Capítulo 18, uso a função "Não perturbe" do meu celular para mandar uma resposta automática anunciando que estou indistraível a qualquer pessoa que tentar entrar em contato comigo durante meu tempo de trabalho focado. Cheguei a fazer camisetas com a palavra Indistraível em letras garrafais para reforçar minha identidade sempre que me olhar no espelho ou alguém me perguntar sobre a camiseta.

Ao fazer pactos de identidade, podemos desenvolver a autoimagem que queremos. Não importa se o comportamento for relacionado ao que comemos, a como tratamos as pessoas ou como administramos as distrações, essa técnica pode nos ajudar a mudar nosso comportamento para refletir nossos valores. Podemos achar que nossa identidade é fixa, mas na verdade nossa autoimagem é flexível e não passa de um conceito que criamos na nossa cabeça. Nossa autoimagem é fruto de um hábito e, como aprendemos, os hábitos podem ser mudados.

Agora que você conhece as quatro etapas do Modelo Indistraível, pode colocar essas estratégias em prática. Memorize as quatro partes do modelo (tração/distração, gatilhos internos/gatilhos externos) para poder ensinar o modelo para as pessoas e poder aplicá-lo imediatamente sempre que se vir caindo vítima da distração.

Até agora, concentramo-nos principalmente no que você pode fazer para se tornar indistraível. Porém, não podemos esquecer que trabalhamos e vivemos em sociedade. Na próxima seção, veremos como a cultura das empresas afeta a distração. Em seguida, veremos por que as crianças são mais propensas à distração e o que todos nós podemos aprender com a necessidade das crianças de obter "nutrientes psicológicos". Por fim, veremos como podemos ser indistraíveis na nossa vida pessoal e ajudar as pessoas mais importantes da nossa vida a manter o foco também.

▌ LEMBRE-SE DISSO

- **A identidade afeta muito o nosso comportamento.** As pessoas tendem a alinhar suas ações com a percepção que têm de si mesmas.
- **Um pacto de identidade é um pré-compromisso com uma autoimagem.** Você pode evitar as distrações agindo em alinhamento com a sua identidade.
- **Torne-se um substantivo.** Ao atribuir uma caracterização a si mesmo, você reforça os comportamentos que refletem essa caracterização. Veja-se como uma pessoa "indistraível".
- **Espalhe a palavra.** Ensinar reforça seu compromisso, mesmo se você ainda tiver suas dificuldades. Uma excelente maneira de ser indistraível é contar aos amigos o que você aprendeu neste livro e as mudanças que está fazendo na sua vida.
- **Adote rituais.** Repetir mantras, seguir uma programação ou manter outras rotinas são atitudes que reforçam a sua identidade e orientam as suas ações.

Parte 5

Transforme o seu Trabalho em um Lugar Indistraível

Capítulo 26

A Distração é um Sinal de Disfunção

O local de trabalho é uma fonte constante de distrações. Planejamos trabalhar em um grande projeto que requer toda a nossa atenção, mas nosso chefe nos interrompe com um pedido. Reservamos uma hora de trabalho focado, mas acabamos sendo arrastados para outra reunião "urgente". Programamo-nos para passar um tempo com a família ou amigos depois do trabalho, mas somos interrompidos para uma videoconferência.

Aprendemos diversas táticas nos capítulos anteriores, como usar o *timeboxing* para definir exatamente quanto tempo vamos passar em cada tarefa, alinhar nossa agenda com os nossos objetivos e nos defender do *hacking* dos gatilhos externos no trabalho, mas, para alguns de nós, o problema não pode ser resolvido só aumentando a nossa capacidade pessoal de lidar com ele.

É importante aprender a controlar as distrações, mas o que podemos fazer quando vivemos sendo interrompidos no trabalho? Como podemos fazer o que é melhor para a nossa carreira e para a nossa empresa se vivemos distraídos no escritório? Considerando que nos dias de hoje parece que precisamos passar o tempo todo conectados ao trabalho, será que o inescapável é o novo normal ou existe uma maneira melhor de trabalhar?

Muitas pessoas acreditam que a adoção de várias tecnologias é a raiz do problema. Afinal, à medida que tecnologias como o e-mail, os smartphones e os grupos de mensagens se proliferam nas empresas, espera-se que os colaboradores usem essas ferramentas para fazer o que os chefes querem, quando eles querem. No entanto, pesquisas recentes voltadas a investigar as razões que nos levam a nos distrair no trabalho revelam uma causa mais profunda.

Como vimos na Parte 1, muitas distrações se originam da necessidade de fugir do desconforto psicológico. Mas o que incomoda tanto as pessoas no trabalho? Cada vez mais estudos estão constatando que algumas organizações submetem seus funcionários a muito sofrimento. Por exemplo, uma meta-análise conduzida em 2006 por Stephen Stansfeld e Bridget Candy da University College London descobriu que ambientes de trabalho com determinadas características podem chegar a causar depressão clínica.[1]

O estudo investigou vários fatores que podem levar à depressão no trabalho, incluindo o entrosamento dos membros da equipe, o nível de suporte social e a segurança no emprego. Embora esses fatores costumem ser tema de conversas de bebedouro ou nos *coffee breaks*, eles demonstraram ter pouca correlação com a saúde mental.

No entanto, os pesquisadores encontraram dois fatores preditivos do desenvolvimento da depressão no trabalho. "O que a pessoa faz no trabalho não faz muita diferença. O que faz diferença é o ambiente no qual a pessoa trabalha", Stansfeld me disse.[2]

A primeira condição envolvia o que os pesquisadores chamaram de "desgaste no trabalho". Esse fator foi encontrado em ambientes onde se esperava que os funcionários atingissem altas expectativas, mas sem lhes dar a possibilidade de controlar os resultados. Stansfeld explicou que esse desgaste pode ser sentido tanto em empregos de escritório quanto em trabalhos braçais e o comparou com o sentimento de trabalhar na linha de produção de uma fábrica sem ter como ajustar a velocidade da produção, mesmo quando as coisas dão errado. Como Lucille Ball trabalhando na fábrica de chocolate no episódio clássico de *I Love Lucy*, os trabalhadores de escritório podem sentir o desgaste no trabalho vindo de e-mails ou tarefas urgentes, como bombons zunindo pela cinta transportadora.

O segundo fator que se correlaciona com a depressão no trabalho é um ambiente que apresenta um "desequilíbrio entre esforço e recompensa", onde os trabalhadores não sentem que recebem um retorno compatível com seu empenho, seja na forma de um aumento salarial ou reconhecimento. No centro do desgaste no trabalho e do desequilíbrio entre esforço e recompensa, segundo Stansfeld, está a sensação de falta de controle.

A depressão custa à economia norte-americana mais de US$ 51 bilhões anuais em absentismo, de acordo com a Mental Health America, mas esse valor nem chega a arranhar o potencial perdido de milhões de americanos que sofrem no trabalho sem serem diagnosticados.[3] Além disso, o valor não leva em conta os sintomas leves da depressão causados por ambientes de trabalho insalubres que resultam em consequências indesejadas, como a distração. Como nos voltamos aos nossos dispositivos para fugir do desconforto, também recorremos às nossas ferramentas tecnológicas para nos sentir melhor diante da falta de controle. Checar o e-mail ou falar alguma coisa em um grupo de mensagens nos dá uma ilusão de produtividade, mesmo se essas ações não melhorarem a situação.

A tecnologia não é a causa fundamental da distração no trabalho. O buraco é muito mais embaixo.

Leslie Perlow, uma consultora que se tornou professora da Faculdade de Administração da Harvard, liderou um extenso estudo de quatro anos que documentou em seu livro *Sleeping with Your Smartphone*.[4] No livro, ela escreve sobre gestores do Boston Consulting Group (BCG), uma importante consultoria de estratégia organizacional, que perpetuavam a cultura de altas expectativas e baixo controle associada à depressão.

Por exemplo, Perlow descreve um projeto liderado por dois *partners* da empresa que tinham estilos de trabalho opostos. Um deles era um madrugador , enquanto o outro gostava de trabalhar até tarde da noite. Como pais em processo de divórcio, os dois raramente se encontravam pessoalmente. Por isso, usavam a equipe para se comunicar entre si. Um consultor da equipe conta:

> *Um dos **partners** vivia nos pedindo para incluir coisas e acabávamos com apresentações de quarenta a sessenta slides nas reuniões semanais. O outro não entendia por que estávamos todos no vermelho* [*trabalhando mais de 65 horas por semana*]... *Um dos **partners** ficava acordado até de madrugada, pedindo alterações às 11 da noite e o outro acordava cedo e começava a mandar e-mails às 6 da manhã... E a gente ficava levando dos dois lados.*[5]

A situação pode ser específica à empresa e à sua dinâmica, mas os problemas resultantes não. Funcionários que fazem o que se espera deles e tentam satisfazer as demandas dos chefes não raro sentem-se incapazes de mudar a cultura da empresa. Como disse um consultor que Perlow entrevistou: "Os *partners* gostam de ouvir 'sim' mais do que gostam de ouvir 'não' e eu só tento lhes dar o que eles querem".

Se um chefe mandasse um e-mail em um horário em que o funcionário normalmente estaria com a família ou dormindo, o funcionário dava um jeito de responder ao e-mail. Se um chefe quisesse uma reunião apesar de os funcionários terem outras tarefas muito mais urgentes, a equipe largava tudo e comparecia à reunião. Se um chefe achasse que a equipe precisava trabalhar até tarde (mesmo se os funcionários tivessem planos pessoais), bem... você já pode imaginar o que acontecia.

A inclusão das tecnologias a essa cultura já corrosiva piorou ainda mais as coisas. Perlow explica que a pressão que os funcionários sentem de ficar 24 horas de prontidão é intensificada pelo que ela chama de "ciclo de responsividade". Ela escreve: "A pressão de manter-se disponível geralmente resulta de alguma razão aparentemente válida, como demandas de clientes ou colegas trabalhando em fusos horários diferentes". O que acaba acontecendo é que os funcionários "começam a se ajustar a essas demandas — adaptando a tecnologia utilizada, alterando sua programação diária, o modo como trabalham e até sua vida pessoal e suas interações com a família e os amigos — para satisfazer às necessidades dos clientes".

Essa maior disponibilização tem um preço alto. Responder a e-mails durante o jogo de futebol do seu filho treina os colegas do trabalho a esperar respostas rápidas em horários antes fora de cogitação. O resultado é que as demandas do escritório transformam o tempo pessoal ou familiar em tempo de trabalho.

Mais solicitações resultam em mais pressão para responder, gerando um fluxo irritante de e-mails e mensagens no Slack. Não tarda para a cultura de responsividade e prontidão 24 horas se transformar na norma do escritório, exatamente como aconteceu no BCG.

1. "As pessoas da empresa estão sempre conectadas."

4. Maiores expectativas para manter-se sempre disponível.

2. Menos controle do tempo.

3. "Se eu quiser ascender na empresa, preciso estar sempre disponível."

As tecnologias podem até perpetuar um "ciclo vicioso de responsividade", mas as raízes desse ciclo estão em uma cultura disfuncional. (Fonte: Inspirado no livro de Leslie Perlow, Sleeping With Your Cell Phone)

O ciclo de responsividade é causado por um efeito dominó de consequências. Tecnologias como o smartphone e o Slack podem perpetuar o ciclo, mas a tecnologia por si só não é a fonte do problema. O uso excessivo das tecnologias não passa de um sintoma.

O verdadeiro culpado é a cultura de trabalho disfuncional.

Quando Perlow identificou a origem do problema, ela se propôs a ajudar a empresa a mudar sua cultura tóxica. No processo, ela constatou que, se uma empresa fosse incapaz de resolver um problema como o uso excessivo das tecnologias, a cultura organizacional provavelmente também estaria ocultando todo tipo de problemas mais profundos. Nos próximos capítulos desta seção, falarei em mais detalhes sobre o que Perlow fez para ajudar o BCG e o que você pode fazer para mudar a cultura de distração no seu trabalho.

🔖 LEMBRE-SE DISSO

- **Empregos que impõem altas expectativas e pouco controle dos funcionários levam a sintomas de depressão.**
- **Ninguém gosta de sentir sintomas de depressão.** Quando as pessoas se sentem mal, elas usam distrações para evitar a dor e recuperar um senso de controle.
- **O uso excessivo das tecnologias no trabalho é um sintoma de uma cultura organizacional disfuncional.**
- **O aumento do uso das tecnologias agrava os problemas,** perpetuando um "ciclo de responsividade".

Capítulo 27

As melhores Culturas de Trabalho Combatem a Distração

Quando Leslie Perlow começou a estudar o Boston Consulting Group, ela já conhecia a fama da empresa de trabalhar 24 horas por dia, 7 dias por semana. As entrevistas com o pessoal do BCG rapidamente revelaram as causas do problema de retenção de funcionários da empresa.[11*] As duas principais razões que levavam as pessoas a sair da empresa eram a falta de controle sobre seus horários e a expectativa de passar o tempo todo conectadas.

Para resolver o problema, Perlow apresentou uma proposta simples: se ninguém gostava da obrigação de manter-se conectado o tempo todo, por que não tentar dar aos consultores pelo menos "uma única noite de folga programada por semana"? As pessoas teriam um tempo livre de telefonemas e e-mails e poderiam fazer planos sem o medo de precisar largar tudo para voltar ao trabalho.[1]

Perlow apresentou a proposta a George Martin, sócio-diretor do escritório de Boston, que rejeitou imediatamente a ideia e a orientou a não se meter nas equipes *dele*. Todavia, talvez na tentativa de livrar-se da pesquisadora enxerida, ele lhe deu permissão para "andar pelo

---

[11*] Meu primeiro emprego depois que me formei foi no BCG, bem antes do estudo de Perlow. Não fiquei muito tempo na empresa.

escritório" e procurar algum outro gestor disposto a topar a ideia. Um bom tempo depois, Perlow encontrou um jovem gestor chamado Doug, que tinha dois filhos pequenos e um terceiro a caminho. Diante das próprias dificuldades de equilibrar sua vida profissional e pessoal, Doug concordou em deixar seu pessoal servir de cobaias no experimento de Perlow. Começando com Doug e sua equipe, Perlow lançou o desafio e se pôs a observar as tentativas da equipe de dar a todos uma chance de desconectar-se do trabalho.

Perlow confirmou que todos gostariam de ter uma noite de folga por semana. Estabelecida essa meta, a equipe se pôs a definir como estruturaria seus dias de trabalho para atingir o objetivo. A equipe começou a fazer reuniões regulares para falar sobre os problemas que estavam impedindo o atingimento da meta da noite de folga e para pensar em novas práticas que precisariam ser implementadas para transformar esse sonho em realidade.

Os consultores do BCG passaram anos ouvindo incontáveis razões pelas quais eles precisavam manter-se de prontidão para o trabalho a qualquer hora do dia e da noite. "Temos a obrigação de satisfazer o cliente a qualquer custo", "Trabalhamos em diferentes fusos horários" e "E se um cliente precisar de nós?" eram respostas comuns que impediam as tentativas de encontrar maneiras melhores de trabalhar. Todavia, diante da chance de falar abertamente sobre o problema, a equipe de Doug percebeu que havia muitas soluções simples.

Um dilema comum que muitas vezes era desconsiderado na empresa como "é assim que as coisas precisam ser" poderia ser resolvido se as pessoas tivessem um espaço seguro para falar abertamente sobre o assunto, sem medo de serem vistas como "preguiçosas" por querer desligar o celular e o computador por algumas horas.

Para a surpresa de Perlow, as reuniões levaram a muito mais benefícios do que ela esperava, abordando temas que acabaram indo muito além dos dispositivos tecnológicos. As reuniões para falar sobre o tempo de folga programado abriram um espaço para as pessoas falarem abertamente sobre a questão, o que, nas palavras de Perlow, "foi uma grande mudança".

A equipe se viu questionando outras normas da empresa. Ter um lugar para perguntar: "Por que as coisas têm de ser assim?" deu-lhes um espaço para pensar em novas ideias. "Nada era tabu", disse um consultor. "A gente podia falar sobre tudo." Os gestores da equipe "nem sempre concordavam, mas eram abertos a novas ideias".

O que começou com uma conversa sobre a possibilidade de as pessoas de desconectarem por um tempo do trabalho acabou se transformando em um fórum para um diálogo aberto.

Os gestores também encontraram, nas reuniões, um espaço para esclarecer seus objetivos e estratégias, temas que antes eram deixados de lado enquanto a equipe se ocupava de apagar incêndios. Com uma visão mais clara de como seu trabalho contribuía para os objetivos da empresa como um todo, a equipe sentiu-se mais empoderada e capaz de afetar o resultado de seu trabalho. Com a troca de ideias, as reuniões passaram a ser oportunidades de reconhecer os membros da equipe por suas contribuições, falar sobre problemas e dificuldades e levantar problemas que antes não tinham como ser abordados.

O desafio lançado por Perlow rompeu o ciclo de reatividade. Em vez de culpar a tecnologia pelos problemas, a equipe refletiu sobre as razões que levavam a seu uso excessivo. A cultura tóxica de passar o tempo todo de prontidão deixou de ser aceita como algo que a empresa esperava dos funcionários e passou a ser vista como mais um obstáculo que poderia ser superado se as pessoas tivessem a chance de abordá-lo abertamente.

O que começou como um desafio para encontrar um jeito de permitir que os membros de uma equipe passassem uma noite por semana desconectados mudou profundamente a cultura do BCG. Antes um exemplo típico do tipo de ambiente de trabalho associado a altos índices de depressão, de acordo com o estudo de Stansfeld e Candy, o BCG deu início a uma transformação envolvendo a empresa toda.

Hoje, equipes de toda a empresa (incluindo o escritório de George Martin, o sócio-diretor que inicialmente recusou a proposta de Perlow) conduzem reuniões regulares para garantir que todos tenham um tempo para se desconectar. E, ainda mais importante, disponibilizar um espaço seguro para conversar abertamente sobre todo tipo de questões aumentou o senso de controle dos funcionários e acabou sendo uma maneira inesperada de melhorar a satisfação no trabalho e a retenção de pessoal. Quando a empresa passou a dar aos funcionários condições para atingir o sucesso, eles encontraram maneiras de resolver os problemas que impediam o progresso deles e da empresa.

As empresas costumam confundir a doença de uma cultura tóxica com os sintomas da doença, como o uso excessivo das tecnologias e alta rotatividade de funcionários.

O problema identificado por Perlow no BCG acomete organizações de todos os portes e em todos os setores. Pouco tempo atrás, o Google se propôs a identificar os fatores que melhoravam a retenção de funcionários e a qualidade dos resultados das equipes. A gigante das buscas anunciou os resultados de um estudo de dois anos voltado a responder, de uma vez por todas, à pergunta: "O que faz com que uma equipe do Google seja eficaz?"[2]

A equipe de pesquisadores começou o estudo acreditando que a constatação seria que as equipes são mais eficazes quando são compostas de grandes talentos. Como Julia Rozovsky, uma pesquisadora do projeto, explicou:

> *Pegue um acadêmico brilhante, dois extrovertidos, um programador que sabe tudo de AngularJS e um PhD e **voilà**! Você tem uma equipe dos sonhos, certo? Estávamos totalmente equivocados. A composição da equipe é menos importante que a maneira como os membros da equipe interagem, estruturam o trabalho e veem suas contribuições.*

Os pesquisadores encontraram cinco dinâmicas que diferenciam as equipes de sucesso. As quatro primeiras eram confiabilidade; estrutura e clareza; senso de propósito no trabalho; e impacto do trabalho. Porém, a quinta dinâmica era sem dúvida a mais importante e fundamentava as outras quatro. Era algo chamado *segurança psicológica*. Rozovsky explica:

> *As pessoas que atuam em equipes com maior segurança psicológica têm menos chances de sair do Google, têm mais chances de alavancar a diversidade de ideias dos colegas de equipe, contribuem mais com a receita e são consideradas duas vezes mais eficazes pelos executivos.*

O termo "segurança psicológica" foi cunhado por Amy Edmondson, uma cientista do comportamento organizacional da Harvard. Em sua palestra no TEDx, Edmondson define a segurança psicológica como "a crença de que ninguém será punido ou humilhado por expressar ideias, fazer perguntas, levantar problemas ou apontar erros".[3] Parece fácil simplesmente dizer o que pensa, mas, se você não se sentir psicologicamente seguro, vai preferir não revelar suas opiniões.

Rozovsky prossegue:

> *Acontece que todos nós relutamos em apresentar comportamentos que possam afetar negativamente a percepção que as pessoas têm da nossa competência, conscientização e positividade. Embora esse tipo de autoproteção seja uma estratégia natural no trabalho, ela acaba prejudicando a eficácia do trabalho em equipe. Por outro lado, quanto mais seguros os membros*

da equipe se sentirem, maiores serão as chances de eles admitirem erros, firmarem parcerias e assumirem novas responsabilidades.

A segurança psicológica é o antídoto para o tipo de ambiente de trabalho indutor da depressão que Stansfeld e Candy encontraram em seu estudo. É também o ingrediente mágico que as equipes do BCG encontraram quando começaram a fazer reuniões regulares para encarar o desafio de dar aos funcionários uma noite de folga por semana.

Saber que a sua opinião importa e que você não está preso a uma máquina indiferente e imutável afeta positivamente o seu bem-estar.

Como uma equipe ou empresa pode criar a segurança psicológica? Em sua palestra, Edmondson sugere um processo de três etapas:

- **Etapa 1:** "Veja o trabalho como um problema de aprendizagem, não um problema de execução." Considerando que não temos como saber o que o futuro nos reserva, é importante enfatizar que "precisamos de todas as cabeças pensando e de todas as opiniões na mesa".

- **Etapa 2:** "Admita que você não é perfeito." Os chefes precisam mostrar a todos que ninguém sabe todas as respostas e que estamos todos juntos no mesmo barco.

- **Etapa 3:** Os líderes devem "ser um exemplo de curiosidade e fazer muitas perguntas".[4]

Edmondson insiste que as organizações, especialmente as que atuam em condições de grande incerteza e muita interdependência entre os membros da equipe, também precisam ter altos níveis de motivação e segurança psicológica, um estado que ela chama de "zona de aprendizagem".

É na zona de aprendizagem que as equipes apresentam seu melhor desempenho e podem dizer o que pensam sem medo de ser criticadas ou demitidas. Na zona de aprendizagem, elas podem resolver os problemas, como o uso excessivo das tecnologias e as distrações, sem correr o risco de ser vistas como preguiçosas. É na zona de aprendizagem que elas podem desfrutar de uma cultura organizacional que as liberta dos gatilhos internos incômodos resultantes da falta de controle sobre o trabalho.

É só quando as empresas dão aos funcionários um ambiente psicologicamente seguro para expressar suas opiniões e resolver juntos os problemas que alguns dos maiores desafios no trabalho podem ser superados. Criar um ambiente no qual os funcionários possam fazer seu melhor trabalho livre de distrações põe à prova a qualidade da cultura da organização. No próximo capítulo, aprenderemos com empresas que passaram nessa prova com distinção.

▮ LEMBRE-SE DISSO

- **Não sofra em silêncio.** Um local de trabalho onde as pessoas não podem falar sobre o uso excessivo das tecnologias também é um local de trabalho onde as pessoas se calam sobre outros problemas (e soluções) importantes.

- **É fundamental saber que a sua opinião importa.** Equipes que promovem a segurança psicológica e facilitam discussões abertas e regulares sobre os problemas não só são menos vulneráveis à distração como também têm funcionários e clientes mais satisfeitos.

Capítulo 28

O Local de Trabalho Indistraível

Se existe uma tecnologia que incorpora as demandas excessivas de manter-se o tempo todo conectado no trabalho, essa tecnologia é o Slack. A plataforma de trabalho colaborativo pode prender os usuários a seus dispositivos, muitas vezes à custa de tarefas mais importantes.

Mais de dez milhões de pessoas usam o Slack todos os dias.[1] Os funcionários da plataforma, é claro, também usam o Slack... e muito. E, se a distração for causada pela tecnologia, eles sem dúvida também devem sofrer as consequências. Por incrível que pareça, segundo relatos da imprensa e funcionários do Slack com quem conversei, a empresa não tem esse problema.

Se você entrar na sede da Slack em São Francisco, notará um slogan peculiar nas paredes dos corredores. Letras brancas sobre um fundo rosa-choque gritam: "Trabalhe duro e volte para casa". Não é o tipo de lema que se esperaria ver em uma empresa do Vale do Silício responsável pela mesma ferramenta que muitas pessoas dizem que as mantém trabalhando mesmo depois de chegar *em* casa.

Todavia, na Slack, as pessoas sabem quando se conectar. De acordo com um artigo de 2015 publicado na revista *Inc.*, que elegeu a Slack a Empresa do Ano, o slogan não é só papo para inglês ver.[2] Às 18h30, "os escritórios da Slack ficam praticamente vazios". E, segundo o artigo, "É assim que [o CEO Slack] Butterfield quer que seja".

Porém, os funcionários da Slack devem voltar a se logar na plataforma quando chegam em casa, certo? Errado. Na verdade, eles são desencorajados a usar o Slack depois do horário de expediente. De acordo com Amir Shevat, que atuou como diretor de relações com desenvolvedores da Slack, as pessoas da empresa sabem quando se desconectar. "Não é visto com bons olhos mandar mensagens diretas depois do horário de expediente ou no fim de semana", ele explica.

A cultura corporativa da Slack é um exemplo de um ambiente de trabalho que não sucumbiu ao ciclo de responsividade endêmico e enlouquecedor de tantas organizações nos dias de hoje.

Para ajudar as pessoas a se focar no trabalho, a cultura da Slack não se limita a espalhar slogans pelo escritório. Os gestores da Slack lideram pelo exemplo para incentivar os funcionários a se desconectar. Em uma entrevista para a OpenView Labs, Bill Macaitis, que atuou como diretor de receita e diretor de marketing da Slack, afirmou: "As pessoas precisam de um tempo de trabalho ininterrupto... É por isso que eu sempre reservo um tempo na minha agenda para checar as mensagens, seja no Slack ou no e-mail, e depois volto ao trabalho ininterrupto".[3] Macaitis demonstra a importância de priorizar o trabalho ininterrupto, chegando a incluir checar os e-mails e o Slack na agenda, exemplificando o princípio de "reservar um tempo para a tração", que aprendemos na Parte 2.

Shevat concorda com a postura de Macaitis. Na Slack, ele disse: "Ninguém vê problema em se desconectar". Ele faz questão de dar aos colegas toda a sua atenção nas conversas ou reuniões presenciais. "Quando dou meu tempo a alguém, fico 100% focado e nunca olho o celular durante uma reunião. Para mim isso é superimportante." Ao tomar providências para remover as vibrações e os toques das reuniões, ele põe em prática a ideia de "defender-se do *hacking* dos gatilhos externos", que discutimos na Parte 3.

Shevat também contou como os funcionários da Slack usam um pacto de pré-compromisso, do tipo que discutimos na Parte 4, para ajudá-los a manter-se desconectados depois do trabalho. A plataforma do Slack tem uma funcionalidade "Não perturbe" que os usuários podem ativar sempre que quiserem se concentrar no que realmente querem fazer, como focar-se no trabalho ou passar um tempo com a família ou os amigos. Shevat me disse que, se um funcionário tentar mandar uma mensagem quando não deveria, "ele é bloqueado pelo recurso 'Não perturbe'. Depois do expediente, o recurso é ativado automaticamente para que as pessoas só recebam mensagens diretas quando voltarem ao trabalho no dia seguinte".

E, ainda mais importante, a cultura da Slack garante que os funcionários tenham um espaço seguro para falar sobre os problemas. Como Leslie Perlow descobriu no BCG, as reuniões regulares foram indispensáveis para os funcionários poderem expressar suas opiniões. As empresas que reservam um tempo para falar sobre os problemas têm mais chances de promover a segurança psicológica e ouvir os problemas que, de outra forma, os funcionários hesitariam em expressar.

Como aprendemos na Parte 1, lidar com as distrações começa nos conscientizando do que se passa dentro de nós. Se os gatilhos internos estiverem clamando por alívio, os funcionários encontrarão maneiras de fugir do desconforto de um jeito ou de outro (saudável ou não). Garantir que os funcionários tenham um espaço para apresentar os problemas à liderança da empresa ajuda o pessoal da Slack a aliviar a tensão psicológica que Stansfeld e Candy encontraram em ambientes de trabalho tóxicos.

Porém, como uma empresa do porte da Slack consegue garantir que todos tenham um espaço seguro para se expressar? É neste ponto que a própria tecnologia da empresa vem a calhar. A plataforma de trabalho colaborativo facilita as conversas regulares necessárias para promover a segurança psicológica e chegar rapidamente a um consenso. Como eles conseguem fazer essa façanha? Você pode não acreditar, mas Shevat dá os créditos aos emojis.

Segundo ele, na Slack as pessoas têm um canal para tudo. "Temos um canal para pessoas que querem marcar um almoço, um canal para compartilhar fotos de pets e até um canal para falar sobre o Star Wars." Esses canais separados não só poupam os outros do tipo de conversas *off-topic* que entopem as caixas de entrada de e-mail e fazem com que algumas reuniões presenciais sejam insuportáveis como também disponibilizam às pessoas um lugar seguro para expressar suas opiniões e dar sugestões.

Dentre os vários canais utilizados na empresa, os que a liderança leva mais a sério são os canais de feedback. Eles não são utilizados apenas para dar opiniões sobre o último lançamento, mas também são usados para dar sugestões para melhorar a empresa. A empresa usa um canal exclusivo para falar sobre a cultura da empresa e outro que os executivos usam para responder a qualquer pergunta dos funcionários. Shevat diz: "As pessoas são encorajadas a postar todo tipo de sugestão". A empresa chega a ter um canal especial para os funcionários reclamarem do próprio produto. "Os comentários podem ser bem cáusticos", Shevat diz, mas o importante é que eles são expressos e ouvidos.

E é aqui que entram os emojis. "Os gestores mostram que leram os comentários dos funcionários postando o emoji dos olhos. Quando um problema é consertado, alguém responde com um emoji de marca de verificação", explica Shevat. A Slack encontrou uma maneira de mostrar aos funcionários que eles estão sendo ouvidos e que medidas cabíveis estão sendo tomadas.

Naturalmente, nem todas as conversas em todas as empresas devem ocorrer em um grupo de mensagens. A Slack também realiza reuniões regulares com todos os funcionários, que podem fazer perguntas diretamente à gestão. Não importa o formato escolhido, é importante dar aos funcionários uma maneira para dizer o que pensam e mostrar que eles estão sendo ouvidos. Não importa se os funcionários são ouvidos em pequenas reuniões de equipe, como as facilitadas por Perlow no BCG, ou em plataformas de colaboração como na Slack. O que importa é a empresa disponibilizar um espaço para os funcionários se expressarem e a gestão tomar as providências necessárias. Isso é imprescindível para o bem-estar de qualquer empresa e de seus funcionários.

É sempre um risco apontar empresas específicas como exemplos a serem seguidos. Os best-sellers de Jim Collins *Empresas Feitas para Vencer* e *Feitas para Durar* incluíram exemplos de algumas empresas que acabaram não vencendo ou não durando muito tempo.[4]

Não estou dizendo que trabalhar na Slack e no BCG seja um eterno mar de rosas. Alguns funcionários com quem conversei me contaram que tiveram experiências negativas com chefes inflexíveis. Como disse um ex-funcionário sobre a Slack: "Eles realmente tentaram dar segurança psicológica a todos. O problema é que nem todo mundo sabia lidar com isso". É preciso empenho e atenção constantes para criar o tipo de empresa onde as pessoas sentem-se à vontade para dizer o que pensam sem temer retaliações.

Por ora, as estratégias do BCG e da Slack parecem estar tendo sucesso. As duas organizações contam com funcionários e clientes satisfeitos. O BCG entrou na lista do Glassdoor.com das dez "Melhores Empresas para Trabalhar" em oito dos nove últimos anos,[5] enquanto a Slack tem uma média de avaliações anônimas de 4,8 (de um total de 5 estrelas),[6] sendo que 95% dos funcionários dizem que recomendariam a empresa a um amigo e 99% aprovam o CEO.

Vale notar que, não importa quais serão as margens de lucro ou retornos aos acionistas, essas empresas, no momento da escrita deste livro, estão comprometidas a ajudar seus funcionários a ter sucesso lhes dando a chance de ser indistraíveis.

⚑ LEMBRE-SE DISSO

- Organizações indistraíveis, como a Slack e o BCG, promovem a segurança psicológica, disponibilizam um espaço para um diálogo aberto sobre os problemas e, o mais importante, têm líderes que exemplificam a importância de fazer um trabalho focado.

Parte 6

Crie Filhos Indistraíveis

(E por que todos nós Precisamos de Nutrientes Psicológicos)

Capítulo 29

Evite dar Desculpas Convenientes

Nossa sociedade morre de medo de como as distrações potenciais, como os smartphones, podem afetar nossos filhos. Artigos com títulos aterrorizantes como "Os smartphones destruíram uma geração?"[1] e "O risco de depressão e suicídio entre adolescentes está associado ao uso de smartphones, diz um estudo"[2], ironicamente, viralizaram na internet.

A psicóloga Jean Twenge, autora do primeiro artigo, escreve: "Não é um exagero afirmar que a iGen está à beira da pior crise de saúde mental em décadas. Grande parte do problema pode ser atribuído aos smartphones".[3]

Convencidos pelas manchetes tão pessimistas e de saco cheio das distrações tecnológicas dos filhos, alguns pais recorrem a medidas extremas. Uma busca no YouTube revela milhares de vídeos de pais entrando sem aviso no quarto dos filhos, desconectando computadores ou consoles de videogame e despedaçando os dispositivos para lhes ensinar uma lição.[4] Pelo menos essa seria a ideia.

Eu entendo bem a frustração dos pais. Uma das primeiras coisas que minha filha disse quando estava aprendendo a falar foi "hora do iPad, hora do iPad!" Se não recebesse o iPad imediatamente, ela gritava cada vez mais alto, aumentando nossa pressão arterial e testando nossa paciência. Com o passar dos anos, a relação da minha filha com as telas evoluiu, nem sempre de um jeito que eu consideraria positivo. Ela passava cada vez mais tempo brincando com aplicativos fúteis e vendo vídeos.

Agora que ela está mais velha, novos problemas associados a crescer na era digital estão surgindo. Aconteceu muito de irmos jantar em família com amigos, e as crianças passarem o tempo todo mexendo no celular em vez de conversar ou brincar entre si.

Pode ser uma grande tentação, mas destruir os dispositivos digitais de uma criança não leva a nada. Bombardeados com manchetes alarmantes e histórias negativas, é fácil entender por que muitos pais acham que a tecnologia é a causa de todos os problemas dos filhos. Porém, será que é mesmo? Como vimos no trabalho e na nossa vida pessoal, a distração dos nossos filhos resulta de causas fundamentais ocultas.

Minha esposa e eu precisávamos ajudar nossa filha a ter uma relação mais saudável com a tecnologia e outras distrações potenciais, mas primeiramente precisávamos descobrir o que estava causando seu comportamento. Como vimos ao longo deste livro, as respostas simples para perguntas complexas costumam ser erradas e é muito mais fácil promover uma caça às bruxas para encontrar culpados pelo comportamento dos nossos filhos do que dar uma bela olhada no espelho e botar a mão na consciência.

Por exemplo, qualquer pessoa que tenha filhos sabe, sem sombra de dúvida, que as crianças ficam hiperativas depois de consumir açúcar. Todos nós já ouvimos um pai ou mãe alegar que a razão para as travessuras do filho na festa de aniversário foi o tal "barato do açúcar". Devo confessar que usei essa desculpa em mais de uma ocasião. Quero dizer, até que descobri que o conceito do "barato do açúcar" não passa de uma impostura científica. Uma extensa meta-análise de dezesseis estudos "constatou que o açúcar não afeta o comportamento ou o desempenho cognitivo de crianças".[5]

É interessante notar que, embora o tal "barato do açúcar" seja um mito no que diz respeito a afetar o comportamento das crianças, o efeito sobre os pais é concreto. Um estudo descobriu que, quando mães foram informadas de que seus filhos consumiram açúcar, elas consideraram o comportamento dos filhos mais hiperativo, apesar de a criança só ter consumido um placebo. Tanto que vídeos das interações das mães com os filhos revelaram que elas eram tenderam mais a ficar de olho nos filhos e criticá-los mais quando elas achavam que os filhos estavam sob o efeito do açúcar (mesmo se os filhos não tivessem consumido qualquer açúcar durante o experimento).

Outra desculpa clássica do kit de ferramentas que os pais usam para evitar a culpa é dizer que "todo mundo sabe que" os adolescentes são rebeldes por natureza. Todo mundo sabe que os adolescentes são terríveis com os pais porque seus hormônios descontrolados e seu cérebro subdesenvolvido os levam a agir assim. Nada a ver.

Estudos descobriram que adolescentes de muitas sociedades, especialmente de nações em desenvolvimento, não são especialmente rebeldes e, pelo contrário, passam "quase o tempo todo com os adultos".[6] Em um artigo intitulado "O mito do cérebro adolescente", Robert Epstein escreve: "Muitos historiadores observam que, no decorrer da maior parte da história humana documentada, a adolescência é um período relativamente pacífico de transição para a idade adulta".[7] Tudo indica que não há nada de errado no cérebro dos nossos filhos adolescentes; somos nós, os pais, é que temos um cérebro subdesenvolvido.

Também é muito comum culpar as inovações e as novas tecnologias. Em 1474, o monge e escriba veneziano Filippo di Strata lançou uma polêmica contra outro dispositivo portátil de informação, declarando que "a prensa tipográfica corrompe o mundo". Em 1883, um periódico médico atribuiu as taxas crescentes de suicídio e homicídio à nova "mania educacional", proclamando que "a insanidade está aumentando... devido à educação" e que a educação "está exaurindo o cérebro e o sistema nervoso das crianças".[8] Em 1936, a *Gramophone*, uma revista de música, afirmou que as crianças e adolescentes "criaram o hábito de dividir sua atenção entre a monotonia das lições de casa e a empolgante excitação do alto-falante [do rádio]".[9]

Parece difícil acreditar que esses avanços inofensivos possam ter causado tanta trepidação, mas os saltos tecnológicos não raro são acompanhados de pânico. "Em todos os períodos históricos, acreditou-se veementemente em uma 'crise' sem precedentes no comportamento dos jovens", escreve a historiadora da Oxford Abigail Wills em um artigo para a revista on-line de história da BBC.[10] "Não somos especiais. Nossos temores não diferem muito dos nossos antecessores".

Quando se trata do comportamento indesejável dos nossos filhos, os mitos convenientes envolvendo os dispositivos tecnológicos são tão duvidosos quanto a tentativa dos pais de culpar o açúcar, o cérebro adolescente subdesenvolvido e as tecnologias, como os livros e o rádio.

Muitos especialistas acreditam que o debate sobre os possíveis danos causados pela tecnologia é muito mais sutil do que os alarmistas dão a entender.

Em uma refutação do artigo que afirmou que nossos filhos estão à beira da pior crise de saúde mental em décadas, Sarah Rose Cavanagh escreveu na *Psychology Today* que "os dados apresentados pela autora foram escolhidos a dedo, o que significa que ela só analisou estudos que corroboram sua ideia e ignorou estudos que sugerem que o uso dos dispositivos *não* está associado a problemas como depressão e solidão".[11]

Um dos vários estudos que não entraram na análise foi conduzido por Christopher Ferguson e publicado na *Psychiatric Quarterly*. O estudo encontrou uma relação desprezível entre o tempo de tela e a depressão. Ferguson escreveu em um artigo publicado na *Science Daily*: "Embora possa ser mais produtivo para os pais adotarem a política do 'tudo com moderação' para orientar os filhos, nossos resultados não confirmam um grande foco no tempo de tela como uma medida preventiva eficaz para os comportamentos problemáticos dos jovens".[12] Como costuma ser o caso, o diabo está nos detalhes digitais.

Uma leitura mais atenta dos estudos que associam o tempo de tela com a depressão só encontra uma correlação com quantidades extremas de tempo gasto on-line. Garotas adolescentes que passavam mais de cinco horas por dia on-line tenderam a ter mais pensamentos depressivos ou suicidas, mas o bom senso nos levaria a questionar se os adolescentes que tendem a passar muito tempo on-line também não teriam outros problemas na vida. Talvez passar cinco horas por dia em qualquer forma de mídia seja sintomático de um problema maior.

Tanto que o mesmo estudo descobriu que adolescentes que passavam duas horas ou menos on-line por dia não apresentaram taxas mais altas de depressão e ansiedade em comparação com os participantes do grupo de controle. Um estudo conduzido por Andrew Przybylski no Oxford Internet Institute descobriu que o bem-estar mental na verdade aumentava com quantidades moderadas de tempo de tela.[13] "Mesmo em níveis excepcionais, estamos falando de um efeito muito pequeno", afirmou Przybylski. "Os efeitos não chegam a um terço se comparados com deixar de tomar o café da manhã ou ter menos de oito horas de sono".[14]

Quando nossos filhos não apresentam o comportamento que desejamos, perguntamo-nos, exasperados: "Por que o meu filho está agindo assim?" É fácil encontrar um bode expiatório e não raro nos apegamos a respostas simplistas que reforçam uma história que queremos acreditar: que os comportamentos estranhos dos nossos filhos resultam de fatores fora do nosso controle ou, em outras palavras, que não somos nós os culpados por esses comportamentos.

É claro que a tecnologia tem seu papel. Aplicativos de smartphone e videogames são feitos para ter um enorme apelo, assim como o açúcar é feito para ser delicioso. Todavia, como os pais que culpam o "barato do açúcar" pelas travessuras dos filhos, culpar os dispositivos não passa de uma resposta reducionista para uma questão profunda. Recorremos a respostas fáceis para evitar ver a verdade sombria e complexa que explica o comportamento dos nossos filhos. Porém, não temos como resolver o problema se não encararmos o monstro de frente, livres dos mitos divulgados pela mídia, e se não tentarmos identificar as causas fundamentais.

Os pais não precisam acreditar que a tecnologia é danosa para ajudar os filhos a administrar as distrações.

Tornar-se indistraível é um aprendizado que nossos filhos levarão para a vida toda e os ajudará a lidar com todo tipo de distração. Se quisermos ajudar nossos filhos a responsabilizar-se por suas decisões, precisamos parar de dar desculpas desculpas convenientes por eles... e por nós mesmos. Nesta seção, vamos analisar os fatores psicológicos mais profundos que levam algumas crianças e adolescentes a usar os dispositivos em excesso, e aprender algumas maneiras práticas para ajudá-los a vencer as distrações.

🔖 LEMBRE-SE DISSO

- **Assuma a responsabilidade pelo problema.** Quando nossos filhos não se comportam como queremos, é natural procurar desculpas para nos livrar da responsabilidade.
- **Não há nada de novo no tecnopânico.** No decorrer da história, os pais sempre entraram em pânico com as novas tecnologias, como o livro, o rádio e o videogame, que supostamente resultam em algum comportamento indesejado dos filhos.
- **A tecnologia não é nociva.** Se bem utilizada e com moderação, a tecnologia pode beneficiar nossos filhos, ao passo que o uso excessivo (ou insuficiente) pode ter efeitos ligeiramente prejudiciais.
- **Ensine seus filhos a ser indistraíveis.** As crianças e adolescentes que aprenderem a administrar as distrações se beneficiarão desse conhecimento pelo resto da vida.

Capítulo 30

Conheça os Gatilhos Internos dos seus Filhos

Richard Ryan e seu colega Edward Deci são dois dos pesquisadores mais citados do mundo sobre os impulsionadores do comportamento humano. Sua "teoria da autodeterminação" é considerada a base do bem-estar psicológico, e inúmeros estudos confirmaram suas conclusões desde que eles deram início a suas pesquisas, na década de 1970.[1]

Assim como o corpo humano requer três macronutrientes (proteínas, carboidratos e gorduras) para funcionar bem, Ryan e Deci propuseram que a psique humana precisa de três fatores: autonomia, competência e conexão. Quando o corpo é forçado a passar fome, sentimos pontadas de fome; quando a psique é subnutrida, sentimos ansiedade, inquietação e outros sintomas de que alguma coisa está faltando.

Quando nossos filhos não recebem os nutrientes psicológicos necessários, a teoria da autodeterminação explica por que eles podem apresentar comportamentos danosos em excesso, como passar muito tempo com os dispositivos. Ryan acredita que a causa tem menos a ver com os dispositivos e mais com o fato de algumas crianças serem mais suscetíveis às distrações.

Na ausência de autonomia, competência e conexão suficientes, nossos filhos recorrem às distrações para se nutrir psicologicamente.

LIÇÃO 1: NOSSOS FILHOS PRECISAM DE AUTONOMIA (FORÇA DE VONTADE E LIBERDADE DE CONTROLE SOBRE SUAS DECISÕES)

Maricela Correa-Chávez e Barbara Rogoff, professoras da Universidade da Califórnia, em Santa Cruz, conduziram um experimento no qual duas crianças eram levadas a uma sala onde um adulto ensinava uma delas a construir um brinquedo enquanto a outra esperava.[2] O estudo foi concebido para ver o que a criança não participante, a observadora, faria enquanto esperava. Nos Estados Unidos, a maioria das crianças observadoras fez o que se espera das crianças: elas se mexeram inquietas na cadeira, ficaram com os olhos grudados no chão e em geral mostraram sinais de desinteresse. Um menino impaciente chegou a fingir que um brinquedo era uma bomba e jogou as mãos para o ar para imitar uma explosão, fazendo ruídos para simular uma carnificina. Já as crianças maias da Guatemala se concentraram no que a outra criança estava aprendendo e ficaram sentadas pacientemente enquanto o adulto ensinava a outra criança.

Em geral, o estudo constatou que as crianças americanas só conseguiam se concentrar pela metade do tempo em comparação com as crianças maias. Ainda mais interessante foi a constatação de que as crianças maias menos expostas à educação formal "sustentaram mais a atenção e aprenderam mais do que as crianças maias cuja família tendia à educação ocidental". Em outras palavras, menos escolaridade levou a mais foco. Como pode ser?

A psicóloga Suzanne Gaskins passou décadas estudando vilarejos maias e disse em uma entrevista na National Public Radio (NPR) que os pais maias dão aos filhos uma liberdade enorme.[3] "Não são os pais que estabelecem uma meta e oferecem aos filhos incentivos e recompensas para atingir essa meta. São os filhos que definem a meta e os pais fazem de tudo para ajudá-los a atingir esse objetivo", Gaskins explicou. Os pais maias "acreditam que os filhos sabem o que querem e que as metas só podem ser atingidas se os filhos quiserem atingi-las".

Já a educação formal nos Estados Unidos e em outros países desenvolvidos é a antítese da ideia de dar às crianças e aos adolescentes autonomia para tomar as próprias decisões. De acordo com Rogoff, "Pode ser que as crianças desistam de controlar sua atenção quando percebem que sua atenção é sempre administrada por um adulto".[4] Em outras palavras, as crianças podem ser condicionadas a *perder o controle* de sua atenção e, em consequência, abrir-se às distrações.

A pesquisa de Ryan mostra exatamente em que ponto as crianças deixam de prestar atenção. "Sempre que as crianças entram no ensino fundamental, sempre que elas são retiradas de salas de aula semelhantes a um lar e conduzidas a escolas autoritárias, onde, por exemplo, os horários são rigorosamente indicados por sirenes e o mau comportamento é punido, elas aprendem que esses ambientes não são intrinsecamente motivadores", diz ele.[5] Robert Epstein, o pesquisador que publicou o artigo "O mito do cérebro adolescente" na *Scientific American*, chegou a uma conclusão parecida: "Os levantamentos que conduzi mostram que os adolescentes norte-americanos são sujeitos a mais de dez vezes mais restrições do que os adultos em geral, duas vezes mais restrições que fuzileiros navais na ativa e até duas vezes mais restrições que criminosos encarcerados".[6]

Embora nem todos os estudantes norte-americanos sejam sujeitos a um ambiente tão restritivo, pode-se ver por que tantos acham difícil manter a motivação em sala de aula: sua necessidade de autonomia para explorar seus interesses não é satisfeita. "Nós os submetemos a um enorme controle nas escolas e não é de se surpreender que eles queiram se voltar a ambientes que lhes deem muito controle e autonomia sobre o que fazem", Ryan explica. "Vemos a utilização das tecnologias como algo nocivo, mas é um mal cujo apelo foi criado por nós, pelas alternativas que nós mesmos determinamos."[7]

Ao contrário da vida off-line, nossos filhos têm uma enorme liberdade on-line. Eles têm autonomia para tomar as próprias decisões e testar estratégias criativas para resolver os problemas. "A internet tende a disponibilizar uma infinidade de opções e oportunidades, além de muito menos controle e vigilância dos adultos", diz Ryan. "No ambiente on-line, os adolescentes têm a chance de sentir liberdade, competência e conexão, especialmente quando os ambientes off-line são excessivamente controlados, restritivos ou pouco estimulantes".

Ironicamente, quando os pais se preocupam com o tempo que seus filhos passam on-line, eles tendem a impor ainda mais regras, em uma tática que só tende a sair pela culatra. Em vez de encontrar mais maneiras de restringir a autonomia das crianças e adolescentes, Ryan recomenda buscar descobrir as necessidades e os gatilhos internos que os levam às distrações digitais. "Descobrimos que os pais que abordam o uso da internet ou o tempo de tela dos filhos dando-lhes mais autonomia têm filhos mais regrados e menos propensos a abusar do tempo de tela", diz ele.

LIÇÃO 2: NOSSOS FILHOS BUSCAM COMPETÊNCIA (MAESTRIA, PROGRESSÃO, REALIZAÇÃO E CRESCIMENTO)

Pense em algo que você faz bem: falar em público, cozinhar ou fazer baliza para estacionar nas vagas mais apertadas. É bom ser competente e, quanto mais competentes somos, mais nos sentimos bem.

O problema é que hoje em dia nossos filhos não têm muitas chances de sentir essa satisfação na escola. Ryan adverte: "Estamos passando mensagens de 'Você não é competente no que faz na escola' para muitas crianças e adolescentes". Segundo ele, parte do problema é o aumento da adoção dos testes padronizados no sistema escolar. "Isso está destruindo as práticas de ensino em sala de aula, está destruindo a autoestima de muitos alunos e destruindo sua motivação para aprender."

"Os alunos não são iguais e nem todos se desenvolvem do mesmo jeito", diz Ryan. Porém, os testes padronizados são feitos para não levar essas diferenças em conta. Se um aluno não estiver indo bem na escola e não tiver o apoio individualizado necessário, ele vai começar a acreditar que é impossível atingir a competência e vai simplesmente desistir de tentar. Incapazes de sentir-se competentes na escola, os alunos procuram a sensação de crescimento e desenvolvimento em outros lugares. As empresas produtoras de games, aplicativos e outras potenciais distrações ficam mais do que satisfeitas de preencher essa lacuna vendendo soluções prontas para os "nutrientes psicológicos" que nossos filhos anseiam tanto.

As empresas de tecnologia sabem que as pessoas adoram subir de nível, conquistar mais seguidores ou ganhar mais curtidas, fatores que lhes proporcionam uma rápida sensação de realização e competência. De acordo com Ryan, quando os alunos são forçados a passar o dia na escola fazendo algo de que não gostam, que não valorizam e não veem potencial de melhorar, "não deveríamos nos surpreender que à noite [eles] prefiram atividades que lhes deem uma grande sensação de competência".

LIÇÃO 3: NOSSOS FILHOS BUSCAM CONEXÃO (SENTIR QUE SÃO IMPORTANTES PARA OS OUTROS E QUE OS OUTROS SÃO IMPORTANTES PARA ELES)

A convivência com colegas e amigos da mesma idade sempre foi uma parte do crescimento. Para crianças e adolescentes, grande parte do desenvolvimento de habilidades sociais requer oportunidades de interações lúdicas entre si. O problema é que, hoje em dia, as interações sociais ocorrem cada vez mais em ambientes virtuais, porque interagir no mundo real pode não ser prático ou seguro.

E a própria natureza das brincadeiras está mudando rapidamente. Você se lembra das brincadeiras improvisadas na escola, dos passeios no shopping com os colegas no fim de semana ou de simplesmente perambular pelo bairro até encontrar um amigo? É triste constatar que a socialização espontânea não é mais comum quanto antigamente.

Como Peter Gray, que estudou o declínio das brincadeiras nos Estados Unidos, escreveu no *American Journal of Play*, "É raro encontrar grupos de crianças brincando ao ar livre e, mesmo se você as encontrar, elas provavelmente estarão uniformizadas seguindo as instruções de professores de educação física".[8]

As gerações anteriores tinham permissão de brincar depois da escola e fazer amizades, mas hoje muitos pais restringem atividades ao ar livre na tentativa de proteger os filhos de "pedófilos, atropelamentos e bullying", segundo um levantamento com pais, publicado na *Atlantic*.[9] Essas preocupações foram mencionadas apesar de as crianças de hoje em dia constituírem estatisticamente a geração mais segura da história dos Estados Unidos.[10] O problema é que essa espiral descendente deixa muitas crianças sem opção, a não ser ficar em casa, participar de atividades estruturadas ou recorrer às tecnologias para encontrar outras crianças e se conectar com elas.

Em muitos aspectos, as conexões feitas em ambientes digitais podem ser muito positivas. Uma criança que sofre bullying na escola pode procurar ajuda em um grupo de apoio on-line; um adolescente em dúvida sobre sua sexualidade pode ser ajudado por outro adolescente que mora do outro lado do país; e um garoto tímido na escola pode ser considerado um herói em um mundo virtual por jogadores de todos os cantos do mundo. "O que os dados mostram", Ryan explica, "é que crianças que não têm um senso de conexão, que se sentem isoladas ou excluídas na escola são mais atraídas às mídias, onde elas podem criar vínculos com outras pessoas e encontrar subgrupos com os quais podem se identificar. Essa situação tem ao mesmo tempo suas vantagens e suas desvantagens".[11]

Segundo Gray, a perda da possibilidade de brincadeiras presenciais tem custos muito concretos, uma vez que "aprender a conviver e cooperar em termos de igualdade com os outros pode ser a função evolucionária mais importante das brincadeiras sociais para a humanidade". Ele vê essa situação como "ao mesmo tempo uma consequência e uma causa do maior isolamento social e solidão na nossa cultura atual". Muito antes de estudos começarem a correlacionar o tempo de tela com o aumento dos índices de depressão, Gray já tinha identificado uma tendência muito mais ampla, remontando a mais de sessenta anos:

> *Desde cerca de 1955... as brincadeiras espontâneas entre as crianças têm diminuído continuamente, pelo menos em parte porque os adultos passaram a exercer um controle cada vez mais rigoroso sobre as atividades das crianças...*
>
> *De alguma forma, nossa sociedade chegou à conclusão de que, para proteger e educar as crianças, devemos privá-las das mesmas atividades que as tornam mais felizes e forçá-las a passar mais tempo em contextos onde elas são continuamente orientadas e avaliadas por adultos, contextos praticamente criados para causar ansiedade e depressão.*[12]

Ao analisar a situação da infância nos dias de hoje, Ryan acredita que muitas crianças não estão recebendo os três nutrientes psicológicos essenciais (autonomia, competência e conexão) em sua vida off-line. E, como seria de se esperar, nossos filhos recorrem ao mundo on-line para encontrar substitutos. "Chamamos isso de 'hipótese da densidade das necessidades'", diz Ryan.[13] "Quanto mais difícil for satisfazer suas necessidades na vida real, mais você vai tentar satisfazê-las nas realidades virtuais."[14]

As pesquisas de Ryan o levam a acreditar que "o uso excessivo [das tecnologias] é um sintoma, um indicativo de algum vazio em outras áreas da vida, como na escola e em casa". Quando essas três necessidades são satisfeitas, as pessoas são mais motivadas, apresentam um desempenho melhor, persistem mais e são mais criativas.

Ryan não é contra restringir o uso das tecnologias, mas acredita que esses limites devem ser definidos *com* os seus filhos e não arbitrariamente impostos, só porque você acha que sabe o que é melhor para eles. "A ideia não é só reduzir o tempo de tela, mas ajudar seu filho a entender a importância disso", ele explica. Quanto mais você conversar com seus filhos sobre os custos do uso excessivo das tecnologias e quanto mais decisões você tomar *com* eles, e não *por* eles, mais abertos eles estarão para ouvir seus conselhos.

Podemos começar ensinando algumas das táticas de enfrentamento e reimaginação que aprendemos na Parte 1. Conte aos seus filhos as mudanças que você fez na sua vida para administrar as distrações. Demonstrar vulnerabilidade e mostrar que entendemos as dificuldades dos nossos filhos e que enfrentamos dificuldades parecidas ajuda a reforçar a confiança. Assim como os bons chefes dão o exemplo de como se desconectar das distrações, os pais devem ser um modelo de como ser indistraível.

Também pode ser interessante dar oportunidades no mundo real para nossos filhos satisfazerem suas necessidades de autonomia, competência e conexão. Reduzir atividades escolares ou esportivas estruturadas e dar-lhes mais tempo para brincadeiras espontâneas são atitudes que podem ajudá-los a encontrar as conexões que, de outra forma, eles acabariam procurando on-line.

Não temos como resolver todos os problemas dos nossos filhos (nem deveríamos tentar), mas *podemos* tentar conhecer suas dificuldades através das lentes de suas necessidades psicológicas. Saber o que está levando ao uso excessivo das tecnologias é o primeiro passo para ajudar nossos filhos a desenvolver a resiliência em vez recorrer às distrações para fugir do desconforto. Quando nossos filhos perceberem que nós os entendemos, eles poderão começar a planejar melhor seu tempo.

⭐ LEMBRE-SE DISSO

- **Os gatilhos internos motivam o comportamento.** Para saber como ajudar nossos filhos a administrar as distrações, precisamos conhecer a origem do problema.

- **Nossos filhos precisam de nutrientes psicológicos.** Segundo uma teoria da motivação humana, todas as pessoas precisam de três elementos: autonomia, competência e conexão.

- **As distrações satisfazem deficiências.** Quando as necessidades psicológicas dos nossos filhos não são satisfeitas no mundo real, eles muitas vezes buscam a satisfação nos mundos virtuais.

- **Nossos filhos precisam de alternativas.** Podemos tomar providências concretas para ajudar nossos filhos a atingir um bom equilíbrio entre os mundos on-line e off-line, oferecendo mais oportunidades de encontrar autonomia, competência e conexões no mundo real.

- **O Modelo Indistraível de quatro etapas também se aplica aos nossos filhos.** Ensine métodos para lidar com as distrações e seja um modelo de uma pessoa indistraível.

Capítulo 31

Arranje com os seus Filhos um Tempo para a Tração

Para ajudar nossos filhos a administrar as distrações, é importante falar sobre pessoas, e não sobre as tecnologias. Essa é uma lição que Lori Getz, fundadora da Cyber Education Consultants, que conduz workshops de segurança na internet em escolas, diz ter aprendido na infância.

Getz era uma adolescente quando ganhou seu primeiro telefone (um aparelho analógico instalado em seu quarto). Assim que o telefone foi instalado, ela fechou a porta e passou o fim de semana inteiro trancada no quarto conversando com as amigas e deixando a família de lado. Na segunda-feira, quando ela chegou da escola, a porta de seu quarto tinha sido retirada. "O seu comportamento não é culpa do telefone", seu pai a repreendeu. "Você fechou a porta e deixou a família de fora."

Embora Getz não recomende as táticas nem o tom agressivo de seu pai, ela acredita ser importante ele ter se focado nas consequências de seu comportamento sobre a família em vez de culpar o telefone. "Foque [a conversa] em como você está tratando as pessoas e interagindo com elas", ela aconselha, em vez de culpar a tecnologia.[1]

Ao falar sobre o tempo que passamos em família, é importante distinguir a tração da distração. A teoria de Getz foi posta à prova em uma viagem de férias com a família. Suas filhas, de 6 e 11 anos, pediram para usar o celular durante a viagem de carro de duas horas, de Sacramento a Truckee. Na tentativa de aliviar a monotonia do percurso para as meninas e aproveitar a chance de conversar tranquilamente com o marido, Getz concordou. O tempo passado no celular facilitou a viagem de carro, mas, depois que a família chegou a seu destino, Getz notou que as meninas estavam usando o celular demais.

A gota d'água foi quando Getz voltou de uma corrida e encontrou as filhas grudadas no celular. Nenhuma das duas estava disposta a sair para o passeio que a família tinha combinado. Em vez de perder a calma e restringir o uso do celular para punir as meninas, Getz decidiu convocar uma reunião de família.

Na conversa, todos disseram que queriam se divertir em família (ou seja, passar um tempo com a tração). Ao decidir como eles queriam passar o tempo e o que precisava ser feito, ficou claro que todo o resto não passava de distrações que interferiam nos planos familiares. A família decidiu que eles só usariam os dispositivos no tempo livre entre uma atividade e outra.

Segundo Getz, admitir que você não sabe todas as respostas é uma excelente maneira de envolver os filhos na busca de soluções. "Procuramos juntos as soluções à medida que avançamos", diz ela. Getz quer que suas filhas mantenham o espírito questionador para observar e controlar o próprio comportamento: "Será que este meu comportamento está me ajudando? Eu posso me orgulhar deste meu comportamento?", são perguntas que Getz propõe que suas filhas tentem responder. "Eu trabalho com muitos adolescentes que vivem dizendo que não querem se distrair, que não querem ser sugados neste redemoinho de distrações, mas simplesmente não sabem como parar."

Para ajudar nossos filhos a aprender a regular o próprio comportamento, precisamos ensiná-los a arranjar um tempo para a tração. Podemos conversar sobre os nossos valores e os deles e ensiná-los a reservar um tempo para eles serem as pessoas que desejam ser. Pode ser fácil achar que os nossos filhos "têm todo o tempo do mundo", mas é importante manter em mente que eles têm as próprias prioridades nas áreas da vida *deles*.

Trabalhar com nossos filhos para montar uma programação baseada em valores pode ajudá-los a reservar um tempo para a área da saúde e bem-estar deles, garantindo tempo suficiente para o descanso, higiene, exercícios físicos e nutrição adequada. Por exemplo, minha esposa e eu não impomos um horário rigoroso para a nossa filha ir dormir, mas fazemos questão de expô-la a estudos que demonstram a importância de um sono de qualidade durante a adolescência. Depois que se deu conta da importância do sono para seu bem-estar, ela mesmo concluiu que era melhor evitar o tempo de tela depois das 9 da noite, sabendo que isso a distrairia de seu valor de manter a saúde. Como você deve ter imaginado, ela usa o *timeboxing* para programar períodos de descanso todos os dias. Pode até ter acontecido de ela ter se desviado uma vez ou outra desse compromisso noturno com seu travesseiro, mas o agendamento lhe dá uma diretriz autoimposta que a ajuda a se monitorar, se controlar e, com isso, viver de acordo com seus valores.

Já a área do "trabalho" da vida dos nossos filhos normalmente envolve responsabilidades escolares e tarefas domésticas. Os horários dos nossos filhos na escola são bem definidos, mas a maneira como eles passam o tempo depois da escola pode ser uma fonte de desavenças e frustração.

Sem um planejamento claro, nossos filhos podem tomar decisões impulsivas que muitas vezes envolvem distrações digitais.

Outro dia desses fui tomar um café com uma amiga que é mãe de dois gêmeos adolescentes. Ela reclamou da nova obsessão de seus filhos com o mais recente vilão tecnológico, o jogo on-line *Fortnite*.

"Eles simplesmente não conseguem parar!", ela me contou. Ela estava convencida de que o jogo era viciante e que seus filhos estavam viciados. Toda noite era uma briga, com ela tentando convencê-los a parar de jogar para fazer o dever de casa. Muitíssimo preocupada, ela me perguntou o que eu achava que ela deveria fazer.

Meu conselho incluiu algumas ideias inusitadas. Para começar, recomendei que ela conversasse com os filhos e ouvisse o que eles têm a dizer sem criticar nem julgar. Algumas perguntas que ela poderia fazer incluíam: fazer a lição de casa está em alinhamento com os valores deles? Eles sabem por que precisam fazer o dever de casa? Quais são as consequências de não fazer a tarefa de casa? Eles aceitam as consequências, tanto em curto prazo (tirar notas baixas) quanto em longo prazo (não conseguir um bom emprego)?

Se eles não concordarem com a importância de fazer o dever de casa, forçá-los a fazer algo que eles não querem será visto como uma repressão e só levará a ressentimento.

"Todavia, se eu não ficar no pé dos meus filhos, eles nunca vão ter sucesso na vida", ela objetou.

"Tem certeza?", eu perguntei. "Se eles só estudam para você sair do pé deles, o que eles vão fazer quando entrarem na faculdade ou em um emprego e você não estiver por perto? Será que não é melhor eles sentirem o gosto do fracasso o quanto antes?" Eu disse que os adolescentes normalmente já são capazes de decidir como alocar seu tempo. Se a consequência dessa decisão for não passar em uma prova, que seja. Forçá-los a estudar pode ser um band-aid para cobrir a ferida, mas não é um remédio definitivo.

Depois, sugeri que ela perguntasse como eles propõem dividir seu tempo entre as várias atividades do dia, como estudar, passar um tempo com a família e os amigos ou jogar *Fortnite*. Avisei que ela pode não gostar das respostas, mas que é importante respeitar a opinião deles.

A ideia é ensiná-los a alocar o tempo com atenção, reservando um tempo para atividades importantes em sua programação semanal. Lembre que a agenda deles (como a nossa) deve ser avaliada e ajustada toda semana para garantir que o tempo seja alocado de acordo com seus valores.

Por exemplo, tudo bem jogar *Fortnite* se eles alocaram um tempo para isso com antecedência. Ao aplicar o *timeboxing* para montar uma agenda que inclui um tempo para os dispositivos digitais, nossos filhos saberão que terão tempo para atividades que lhes dão prazer. Recomendei que ela evitasse focar as conversas familiares nas tecnologias. Em vez de gritar "Larguem esse jogo agora!", era melhor ensinar os filhos a controlar-se dizendo a si mesmos: "Agora não".

Empoderar seus filhos lhes dando autonomia para controlar o próprio tempo é uma dádiva enorme. Mesmo se eles tropeçarem de vez em quando, o fracasso faz parte do processo de aprendizagem.

Por fim, eu a aconselhei a ajudar seus filhos a incluir em sua programação bastante tempo para brincar, com os amigos e com os pais. Os meninos estavam usando o *Fortnite* para se divertir com os colegas e continuariam a jogar *on-line* na ausência de uma alternativa na vida real. Se quisermos que os nossos filhos satisfaçam sua necessidade de conexão no mundo real, eles precisam de um tempo para fazer amizades presenciais fora da escola. Esses relacionamentos devem estar livres da pressão de treinadores, professores e pais lhes dizendo o que fazer. O problema é que, nos dias de hoje, nossos filhos não brincam se não tiverem atividades estruturadas.

Você pode incluir na agenda semanal dos seus filhos um tempo livre para brincar e pode se unir a outros pais que entendem a importância de brincadeiras desestruturadas e planejar encontros regulares para deixar as crianças livres para fazer o que quiserem, do mesmo modo como você programa um tempo para caminhar no parque ou tocar com a sua banda na garagem. A maioria esmagadora dos estudos confirma a importância das brincadeiras não estruturadas para as crianças e adolescentes desenvolverem o foco e a capacidade de interagir socialmente. Pensando assim, é possível argumentar que as brincadeiras não estruturadas constituem a atividade extracurricular mais importante dos nossos filhos.[2]

Além de ajudar nossos filhos a reservar um tempo para brincadeiras não estruturadas, também precisamos arranjar um tempo para eles passarem tempo conosco, os pais. Por exemplo, refeições em família são uma das coisas mais importantes que pais e filhos podem fazer juntos. Estudos demonstram que crianças e adolescentes que fazem as refeições regularmente com a família apresentam taxas mais baixas de consumo de drogas, depressão, problemas escolares e transtornos alimentares.[3] É uma pena que muitas famílias deixam a programação das refeições ao acaso e o que acaba acontecendo é que cada um come sozinho de acordo com a própria agenda. Portanto, é melhor reservar uma noite, mesmo que seja só uma vez por semana, para uma refeição em família livre das interrupções dos dispositivos. Nossos filhos podem até participar das decisões sugerindo cardápios temáticos como "os sábados da pizza", cozinhar juntos ou propor temas para a conversa.

As brincadeiras na família podem e devem se estender além das refeições. Na minha casa, criamos um "domingo divertido" no qual nos revezamos para planejar uma atividade de três horas. Na minha vez, posso levar a família para um passeio no parque e uma longa conversa enquanto caminhamos. Minha filha gosta de escolher jogos de tabuleiro. Minha esposa costuma propor uma visita à feira de produtores rurais da região. Não importa o que o responsável da vez escolher fazer, a ideia é reservar um tempo em família toda semana para satisfazer nossa necessidade de conexão.

Não levamos nossa agenda familiar a ferro e fogo e a flexibilizamos quando necessário, mas é importante envolver nossos filhos para decidir a rotina da família e respeitar nossos compromissos uns com os outros. Ao ensiná-los a definir a própria agenda e ao ser indistraíveis juntos, podemos transmitir melhor nossos valores às futuras gerações.

⚑ LEMBRE-SE DISSO

- **Ensine a tração.** Com tantas distrações potenciais na vida dos nossos filhos, é imprescindível ensiná-los a reservar um tempo para a tração.

- **Do mesmo modo como aplicamos o *timeboxing* para definir nossa agenda, nossos filhos podem aprender a reservar um tempo para as coisas que eles consideram importantes.** Se não aprenderem a se planejar, eles se voltarão às distrações.

- **Tudo bem deixar seus filhos tropeçarem.** É com os tropeços que aprendemos. Mostre aos seus filhos como ajustar a agenda para viver de acordo com os valores deles.

Capítulo 32

Ajude os seus Filhos a Lidar com os Gatilhos Externos

Depois de identificar os gatilhos internos que levam seus filhos a recorrer a distrações e ajudá-los a planejar sua agenda aplicando a técnica do *timeboxing*, o próximo passo é analisar os gatilhos externos na vida deles.

É fácil culpar a enxurrada de distrações que tentam desviar a atenção dos nossos filhos. Com o celular vibrando o tempo todo, a TV ligada e música no volume máximo tocando nos fones de ouvido, é difícil saber como nossos filhos conseguem fazer qualquer coisa. Não é raro nossos filhos (e nós) passarem o dia inteiro alternando mentalmente de uma coisa a outra. Tendo de reagir constantemente a gatilhos externos, nossos filhos têm poucas chances de pensar a fundo e concentrar-se em qualquer tarefa por muito tempo.

De acordo com um estudo de 2015 do Pew Research Center sobre adolescentes e a tecnologia nos Estados Unidos, "95% dos adolescentes dizem ter um smartphone ou acesso a um".[1] E, como seria de se esperar, 72% dos pais cujos filhos têm um smartphone se preocupam com o "excesso de distração" causado pelos dispositivos.[2]

Em muitos aspectos, são os próprios pais e responsáveis que possibilitaram essa situação. Afinal, fomos nós, os adultos, que lhes demos permissão e o dinheiro para comprar os dispositivos que passamos a detestar. Nós nos submetemos às exigências dos nossos filhos de maneiras que não beneficiam a eles nem à nossa vida familiar.

Muitos pais não param para pensar se os filhos estão prontos para ganhar um dispositivo com consequências potencialmente danosas e cedem ao argumento de que "todo mundo na minha classe tem um smartphone e uma conta no Instagram".

> **Acontece muito de esquecermos que nem sempre ajudamos nossos filhos cedendo a todos os seus desejos.**

Imagine uma criança na beira de uma piscina enquanto seus amiguinhos se divertem na água. A criança quer entrar na piscina de qualquer jeito, mas você não tem certeza de que ela sabe nadar. O que você faria?

Sabemos que as piscinas podem ser perigosas, mas apesar dos riscos, não passaríamos a vida toda proibindo nossos filhos de entrar na água. O melhor seria dar um jeito de eles aprenderem a nadar. Mesmo depois de eles aprenderem os fundamentos, ficaríamos de olho neles até termos certeza de que eles têm condições de brincar na água em segurança.

Não é difícil pensar em uma série de atividades que não deixaríamos nossos filhos tentar fazer antes de estar prontos: ler certos livros, ver filmes violentos, dirigir um carro, beber e, é claro, usar dispositivos digitais. Cada uma dessas atividades deve começar a ser empreendida no seu próprio tempo, não quando nossos filhos exigirem. Para crescer, é importante poder explorar o mundo e lidar com os riscos da vida, mas dar um smartphone ou outro *gadget* a uma criança antes de ela desenvolver a capacidade de usá-lo corretamente é tão irresponsável quanto deixá-la pular de cabeça em uma piscina sem saber nadar.

Muitos pais explicam que deram um smartphone aos filhos pela tranquilidade de saber que podem entrar em contato com os filhos a qualquer momento, mas infelizmente eles não raro se dão conta de que fizeram isso cedo demais.

Vamos retomar a analogia da piscina. Quando as crianças estão aprendendo a brincar na água, elas começam na parte rasa da piscina. Podemos lhes dar boias ou uma prancha para ajudá-las a ficar mais à vontade na água. É só depois que elas demonstram sua competência na água que as deixamos livres para nadar sozinhas.

Em vez de dar aos nossos filhos um smartphone totalmente funcional, é melhor começar com um celular básico que só faz ligações e envia mensagens de texto. É um celular barato, que não possibilita instalar os aplicativos que podem distrair as crianças com gatilhos externos.[3] Se você achar importante saber onde seus filhos estão o tempo todo, pode lhes dar um smartwatch básico com rastreamento por GPS. Alguns modelos só permitem fazer e receber ligações de números cadastrados.[4]

Um bom teste para saber se os seus filhos estão prontos para usar um determinado dispositivo é ver se eles são capazes de usar as configurações do aparelho para desativar os gatilhos externos.

Eles sabem usar o recurso "Não perturbe"? Eles sabem configurar o celular para desativar automaticamente as notificações quando sua agenda está programada para alguma tarefa que exige concentração? Eles são capazes de deixar o celular de lado quando estão com a família ou os amigos? Caso contrário, eles ainda não estão prontos e precisam de mais algumas "aulas de natação", por assim dizer.

Embora os pais tendam a ficar obcecados com a mais recente onda tecnológica, muitas vezes nos esquecemos das tecnologias mais antigas, que podem ser tão problemáticas quanto. Nada justifica deixar seus filhos ter uma TV, um laptop ou qualquer outro gatilho externo de distrações no quarto deles. Essas telas devem ser mantidas nas áreas coletivas da casa. A tentação de abusar desses dispositivos é grande demais para esperarmos que nossos filhos se controlem sozinhos, especialmente se não ficarmos de olho.

Nossos filhos também precisam dormir bem e por tempo suficiente, e qualquer dispositivo vibrando, buzinando e acendendo à noite não tem como deixar de ser uma distração. Anya Kamenetz, autora de *The Art of Screen Time*, diz que garantir que nossos filhos durmam o suficiente é "a questão que apresenta as evidências mais incontestáveis".[5] Kamenetz afirma que "as telas e o sono não se misturam" e implora aos pais que deixem todos os dispositivos digitais fora do quarto dos filhos à noite e que desliguem as telas por pelo menos uma hora antes de dormir.

Também é importantíssimo ajudar nossos filhos a remover os gatilhos externos indesejados ao fazer a lição de casa, tarefas domésticas, refeições, brincadeiras e hobbies que requerem atenção. Assim como você pode pedir ao seu chefe um tempo para se concentrar no trabalho, os pais também precisam respeitar a programação dos filhos. Se eles estiverem fazendo o dever de casa no horário programado, é claro que precisamos ajudá-los a minimizar as distrações. Porém, a mesma regra se aplica aos horários agendados para passar um tempo com os amigos ou jogando videogame. Se eles se planejaram de acordo com os valores deles, cabe a você respeitar o planejamento e deixá-los em paz.

Lembre-se da pergunta crucial: "Este gatilho externo está trabalhando para mim ou sou eu que estou trabalhando para o gatilho?" Pode acontecer de nós mesmos acabarmos sendo uma fonte de distração para os nossos filhos. O cachorro latindo, a campainha tocando, a ordem do pai para atender a porta, a pergunta da mãe sobre a agenda de jogos do time de futebol ou o convite de um irmão para brincar podem interferir no horário programado para se ocupar de alguma outra coisa.

Essas interrupções podem parecer insignificantes, mas, no momento errado, elas são distrações e devemos fazer a nossa parte para ajudar nossos filhos a usar seu tempo como planejaram, removendo os gatilhos externos indesejados.

> ### ◈ LEMBRE-SE DISSO
>
> - **Ensine os seus filhos a nadar antes de deixá-los mergulhar.** Assim como nadar em uma piscina, só devemos permitir que nossos filhos se engajem em alguns comportamentos de risco quando eles estiverem preparados para isso.
>
> - **Verifique se eles estão preparados para usar as tecnologias.** Um bom teste para ver se os seus filhos estão prontos para usar as tecnologias é ver se eles sabem administrar as distrações usando as configurações dos dispositivos para desativar os gatilhos externos.
>
> - **Nossos filhos precisam dormir.** Nada justifica deixar uma TV ou outras potenciais distrações no quarto dos seus filhos à noite. Faça o que for necessário para que nada os distraia de uma boa noite de sono.
>
> - **Não seja o gatilho externo indesejado.** Respeite o tempo deles e não os interrompa quando eles tiverem se programado para alguma atividade focada, seja para estudar ou se divertir.

Capítulo 33

Ensine os seus Filhos a Fazer os Próprios Pactos

Quando minha filha tinha 5 anos e já exigia implacavelmente usar o iPad, minha esposa e eu soubemos que era hora de fazer alguma coisa. Quando nos acalmamos, fizemos o possível para respeitar as necessidades dela, como Richard Ryan recomendou: explicamos, do jeito mais simples que conseguimos, que tempo de tela demais deixa tempo de menos para outras coisas. Como ela estava aprendendo a ver as horas na escola, pudemos explicar que o tempo para as atividades que ela gostava era limitado. Passar tempo demais com aplicativos e vídeos significava menos tempo para brincar com os amiguinhos no parque, nadar na piscina ou ficar com a mamãe e o papai.

Também explicamos que os aplicativos e vídeos foram feitos para manter as pessoas grudadas no iPad. É importante que nossos filhos saibam o que motiva as empresas de games e redes sociais. Embora esses produtos ofereçam entretenimento e conexão, eles também lucram com o nosso tempo e atenção. Pode parecer uma lição séria demais para ensinar a uma criança de 5 anos, mas decidimos que era importante equipá-la com a capacidade de tomar as próprias decisões sobre o tempo de tela e seguir as próprias regras.

Ela é que tinha de saber quando parar, porque ela não tinha como recorrer às empresas de aplicativos ou aos pais para lhe dizer isso.

Em seguida, perguntamos quanto tempo de tela por dia ela achava que seria adequado para ela. Corremos um risco ao lhe dar autonomia para tomar essa decisão, mas valeu a pena.

Na verdade, eu esperava que ela dissesse: "O dia inteiro!", mas não foi o que ela respondeu. Convencida da importância de restringir o tempo de tela e munida da liberdade de tomar a própria decisão, ela pediu timidamente por "dois episódios". "Dois episódios de um programa infantil na Netflix dão uns 45 minutos", eu expliquei. "Você acha que seria bom para você passar 45 minutos por dia no iPad?", eu sinceramente quis saber. Ela faz que sim com a cabeça e eu soube pelo sorrisinho que ela esboçou que ela achava que tinha saído ganhando no acordo.

No que me dizia respeito, 45 minutos era um tempo de tela razoável, já que deixava um bom tempo para outras atividades. "O que você pode fazer para não passar mais de 45 minutos por dia no iPad?", perguntei. Sem querer perder os termos do acordo, ela propôs usar um *timer* de cozinha que ela mesma poderia ajustar. "Gostei da ideia", concordei. "Mas, se a mamãe e o papai perceberem que você não está conseguindo cumprir o acordo, vamos precisar rever esta conversa", eu disse, e ela concordou.

Este exemplo mostra que até as crianças pequenas podem aprender a usar o pré-compromisso. Hoje uma menina cheia de energia de 10 anos, minha filha continua encarregada de definir seu próprio tempo de tela. Com o tempo, ela fez alguns ajustes em suas regras, como trocar episódios diários por uma noite no fim de semana vendo filmes. Ela também substituiu o *timer* de cozinha por outras ferramentas. Hoje ela usa a Alexa da Amazon para configurar um alarme que a alerta quando o limite foi atingido. O importante é que essas regras são dela, não nossas, e que cabe a ela seguir as próprias regras. O melhor de tudo, quando o tempo dela acaba, eu não preciso ser o chato da história. É o dispositivo que a avisa que o tempo acabou. Sem perceber, ela firmou um pacto de esforço, como vimos na Parte 4.

Muitos pais querem saber qual é o tempo de tela ideal para seus filhos, mas esse número varia de acordo com a situação. São muitos os fatores em jogo, incluindo as necessidades específicas dos filhos, o que os filhos fazem on-line e quais atividades o tempo de tela está substituindo. O mais importante é incluí-los na decisão e ajudá-los a definir as próprias regras. Quando os pais impõem limites sem incluir os filhos nas decisões, eles podem causar ressentimento e incentivá-los a trapacear para aumentar o tempo com os dispositivos.

> **É só quando os filhos têm a chance de monitorar seu próprio comportamento que eles desenvolvem os conhecimentos necessários para ser indistraíveis, mesmo quando os pais não estão por perto para supervisioná-los.**

Essas estratégias não são garantia de que o relacionamento entre pais e filhos será um paraíso. Pelo contrário, podemos esperar conversas acaloradas sobre o papel da tecnologia em casa e na vida dos nossos filhos, assim como muitas famílias têm debates inflamados sobre deixar os filhos adolescentes usar o carro da família no sábado à noite. As conversas e, por vezes, desavenças respeitosas são um sinal de uma família saudável.

Se pudermos aprender uma lição desta seção, e talvez deste livro todo, é que a distração é um problema como qualquer outro. Seja em uma grande empresa ou em uma pequena família, quando falamos abertamente sobre os nossos problemas em um espaço seguro, podemos resolvê-los juntos.

Uma coisa é certa: a tecnologia está se tornando cada vez mais uma parte inevitável da nossa vida. É importante ensinar nossos filhos que os produtos tecnológicos são feitos para ter um apelo enorme, mas também precisamos reforçar que eles têm o poder de superar as distrações. Eles têm a responsabilidade e o direito de fazer um bom uso de seu tempo.

> ### ⚑ LEMBRE-SE DISSO
>
> - **Não subestime a capacidade do seu filho de firmar um pré-compromisso e seguir as próprias regras.** Até as crianças pequenas podem aprender a usar pré-compromissos se as deixarmos definir as próprias regras e as ensinarmos a usar um *timer* ou algum outro sistema para ajudá-las a cumprir as regras.
> - **Ajude os seus filhos a não usar as tecnologias às cegas.** É importante para os nossos filhos saber que as empresas lucram se conseguirem manter os usuários assistindo a vídeos ou usando os aplicativos que produzem.
> - **Coloque seus filhos no comando.** É só quando os nossos filhos têm a chance de praticar o monitoramento do próprio comportamento que eles aprendem a administrar o próprio tempo e atenção.

Parte 7
Tenha Relacionamentos Indistraíveis

Capítulo 34

Espalhe Anticorpos Sociais entre os seus Amigos

Q uando estamos na companhia de amigos, nunca estamos sozinhos com eles. É quase certo que o nosso celular também estará presente e pronto para nos interromper com notificações nos momentos mais inapropriados. Quem já não ficou falando sozinho quando um amigo olhou automaticamente o celular no meio da conversa ao receber uma notificação? A maioria de nós simplesmente aceita essas interrupções, lastimando o sinal dos tempos.

O problema é que a distração é contagiante. Quando fumantes se reúnem, o primeiro a acender um cigarro dá um exemplo que os outros acabam seguindo. Os dispositivos digitais também podem instigar as pessoas a se comportar de determinadas maneiras. Quando uma pessoa olha o celular durante um jantar, o ato serve como um gatilho externo. Não demora muito para os outros comensais se perderem na própria tela e a mesa ficar em silêncio.

Os psicólogos chamam esse fenômeno de "contágio social" e os pesquisadores descobriram que ele afeta os mais variados comportamentos, desde o consumir drogas até comer demais.[1] É difícil manter o peso quando sua família insiste em devorar uma pizza enquanto você belisca sua salada de alface, e é difícil mudar seus hábitos tecnológicos quando sua família e amigos preferem interagir com os dispositivos a conversar com você.[2]

Considerando a enorme influência que os outros têm sobre as nossas ações, como podemos administrar as distrações quando estamos na companhia das pessoas com quem queremos passar um tempo sem interrupções? Como podemos mudar nossas tendências à distração ao conviver com pessoas distraíveis?

O ensaísta e investidor Paul Graham escreve que as sociedades tendem a desenvolver "anticorpos sociais" ou, em outras palavras, defesas contra novos comportamentos danosos.[3] Por exemplo, em 1965, segundo os Centros de Controle e Prevenção de Doenças dos Estados Unidos, 42,4% dos adultos americanos fumavam, um número que deve cair para apenas 12% até 2020.[4] É bem verdade que leis restringindo o tabagismo em locais de uso comum ajudaram a reduzir as taxas de tabagismo. Porém, nenhuma lei impede as pessoas de fumar na própria casa e, mesmo assim, houve uma mudança na tendência ao tabagismo.

Lembro que, na minha infância, meus pais tinham cinzeiros espalhados pela casa, mesmo não sendo fumantes. Na época, as pessoas fumavam dentro de casa, perto de crianças, no escritório... onde bem entendessem. Minha mãe fazia o que podia para desencorajar o hábito, oferecendo às visitas um cinzeiro na forma da mão de um esqueleto, mas seria indelicado ir além desse lembrete pouco sutil das consequências do tabagismo. Naquela época, era considerado estranho, senão grosseiro, pedir para uma visita ir fumar no quintal.

Todavia, hoje em dia, a situação mudou muito. Eu nunca tive um cinzeiro em casa. Ninguém nunca pediu para fumar na minha casa porque todo mundo sabe qual seria a resposta. Fico com medo só de pensar na cara da minha esposa se alguém acendesse um cigarro na nossa sala de estar. Essa pessoa não seria mais convidada para frequentar a nossa casa nem faria parte do nosso círculo de amigos por muito tempo.

Como as normas sociais em torno do tabagismo puderam mudar tanto em apenas uma geração? Segundo a teoria de Graham, as pessoas incorporaram anticorpos sociais para se proteger, da mesma forma como nosso corpo combate bactérias e vírus que podem nos causar doenças. O remédio para a distração em situações sociais envolve criar novas normas para desaprovar o comportamento de usar o celular quando não estivermos sozinhos.

As normas sociais estão mudando, mas cabe a nós decidir se elas mudarão para melhor ou para pior.

A única maneira de garantir que certos comportamentos danosos deixem de ser aceitáveis é apontá-los e combatê-los com anticorpos sociais para conter sua disseminação. Essa tática funcionou para o tabagismo e também pode funcionar para as distrações digitais.

Imagine que você esteja em um jantar e alguém saca o celular e se põe a digitar alguma coisa. Você já deve saber que é grosseiro usar um dispositivo em uma situação social, mas sempre tem alguém que ainda não aprendeu a nova norma social. Não é uma boa ideia humilhar a pessoa na frente dos outros, pelo menos se você quiser manter a amizade. É mais interessante usar uma tática mais sutil.

Para manter a cordialidade, uma abordagem simples e eficaz é fazer uma pergunta direta para lembrar o infrator de que ele não está sozinho, dando-lhe duas opções muito simples: (1) retirar-se da mesa para resolver a crise ou (2) guardar o celular. A pergunta é simples: "Estou vendo que você está ao celular. Está tudo bem aí?"

Lembre-se de ser cordial. Afinal, pode realmente ser uma emergência. Porém, em geral, a pessoa vai dar uma desculpa qualquer, guardar o celular e voltar-se ao jantar. Vitória! Você conseguiu espalhar diplomaticamente os anticorpos sociais contra o *"phubbing"*, um termo em inglês cunhado pela agência publicitária McCann para uma campanha da Macquarie Dictionary, um dicionário de inglês australiano.[5]

O *phubbing*, uma combinação das palavras *phone* (telefone) e *snubbing* (esnobar), significa "ignorar (uma pessoa ou o entorno) em uma situação social, ocupando-se do celular ou outro dispositivo móvel". O dicionário reuniu especialistas para criar a palavra e, com isso, dar às pessoas uma maneira de apontar o problema. Agora cabe a nós começar a usar o termo, que também é usado em português , para que ele possa se tornar outro anticorpo social positivo no nosso arsenal contra as distrações em situações sociais.

As tecnologias modernas como smartphones, tablets e laptops não são as únicas fontes de distração em situações sociais.

Muitos restaurantes têm televisores ligados mostrando notícias ou algum evento esportivo que podem atrapalhar as conversas entre os comensais. Como aceitamos televisores ligados em contextos sociais, eles podem ser igualmente, ou até mais, danosos do que outros dispositivos, distraindo-nos das pessoas com quem deveríamos estar socializando.

As distrações entre amigos podem assumir outras formas, incluindo nossos filhos. Por exemplo, outro dia desses, em um encontro social, bem quando um amigo começou a falar sobre suas dificuldades pessoais e profissionais, um de seus filhos foi à mesa e pediu mais suco. A conversa foi imediatamente desviada para as necessidades da criança.

Por mais inocente que seja, uma interrupção como essa tem o poder de inviabilizar uma conversa importante e delicada, o tipo de conversa que reforça as amizades. Da próxima vez que nos encontramos para o jantar, deixamos tudo o que as crianças precisariam, incluindo comidas e bebidas, em outra sala. Os filhos receberam instruções claras para não interromper os adultos, a menos que alguém estivesse sangrando.

Todos os gatilhos externos (sejam eles vindos do nosso celular ou dos nossos filhos) devem ser meticulosamente avaliados para decidirmos se eles estão trabalhando para nós ou se somos nós que estamos trabalhando para eles. Nossos filhos também se beneficiam de aprender a se virar sozinhos e, observando o exemplo dos pais, aprendem a importância de combater as distrações para se concentrar nos amigos. Se não reservarmos deliberadamente um tempo e um lugar para uma conversa livre de distrações, corremos o risco de perder a oportunidade de realmente conhecer as pessoas e permitir que elas realmente nos conheçam.

Da mesma forma como a sociedade reduziu o tabagismo social com anticorpos sociais, podemos reduzir as distrações quando estivermos na presença dos nossos amigos. Ao combinar com nossos amigos e família que tentaremos administrar juntos as distrações e tomar medidas para remover os gatilhos externos que não nos beneficiam, podemos impor uma quarentena ao contágio social das distrações quando estivermos na companhia das pessoas mais importantes da nossa vida.

⭐ LEMBRE-SE DISSO

- **As distrações têm o poder de atrapalhar nosso convívio com as pessoas mais importantes da nossa vida.** As interrupções reduzem nossa capacidade de estreitar nossos vínculos sociais.

- **Bloqueie a disseminação de comportamentos danosos.** Os grupos usam "anticorpos sociais" para proteger-se de comportamentos danosos transformando-os em tabus.

- **Desenvolva novas normas sociais.** Podemos combater as distrações com os amigos da mesma maneira como combatemos o tabagismo social, fazendo com que seja inaceitável usar nossos dispositivos em situações sociais. Prepare algumas frases diplomáticas, como perguntar "Está tudo bem aí?", para desencorajar o uso do celular entre amigos.

Capítulo 35

Seja um Amante Indistraível

Toda noite, minha esposa e eu seguíamos a mesma rotina: ela colocava nossa filha para dormir, escovava os dentes e ia para cama. Ao entrar debaixo das cobertas, nós trocávamos um olhar de intimidade e, sem dizer uma palavra, sabíamos que era hora de fazer o que os casais fazem naturalmente na cama: ela se punha a acariciar seu celular enquanto eu acariciava ternamente a tela do meu iPad. Aaaah, que maravilha...!

Estávamos tendo um caso de amor com nossos *gadgets*. E tudo indica que não éramos os únicos a substituir as preliminares pelo Facebook. De acordo com uma pesquisa, "Quase um terço dos americanos preferiria abrir mão do sexo por um ano do que abrir mão do celular pelo mesmo período".[1]

Antes de aprendermos a ser indistraíveis, o apelo das notificações do nosso smartphone era praticamente irresistível. Não tardava para que a promessa de responder só mais um e-mail depois do jantar se transformasse em 45 minutos de intimidade perdida na cama. Tínhamos caído vítimas de um ritual noturno de uso solitário das tecnologias até a meia-noite. Quando finalmente íamos para a cama, estávamos cansados demais para conversar. Essa rotina acabou desgastando o nosso relacionamento, sem falar na nossa vida sexual.

Estávamos entre os 65% adultos americanos que, de acordo com o Pew Research Center, dormem com o celular na cama ou ao lado da cama.[2] Como os hábitos dependem de um gatilho para acionar um comportamento, a ação costuma ser desencadeada pelas coisas que nos rodeiam. Em vista disso, decidimos deixar os celulares na sala e, na ausência dos gatilhos externos, pudemos recuperar um pouco do controle sobre a nossa infidelidade tecnológica.

Todavia, depois de algumas noites sem celular, comecei a notar uma ansiedade estressante. As minhocas não paravam de rodar na minha cabeça. Será que alguém me mandou um e-mail urgente? Qual foi o último comentário no meu blog? Será que eu perdi alguma coisa importante no Twitter? O estresse era palpável e doloroso, e fiz o que qualquer pessoa comprometida em romper um mau hábito faria: eu trapaceei.

Sabendo que meu celular não estaria disponível, tive de encontrar um novo parceiro de cama. Para o meu alívio, a ansiedade desapareceu assim que abri meu laptop. Minha esposa, vendo o que eu estava fazendo, agarrou a chance de aliviar o próprio estresse, e lá estávamos nós de novo.

Depois de algumas noites na cama com nossos dispositivos, fomos forçados a admitir o fracasso. Constrangidos, mas decididos a descobrir onde foi que erramos, percebemos que tínhamos pulado um passo importante. Não tínhamos aprendido a lidar com o desconforto que acabou nos levando a reincidir no hábito. Com autocompaixão, decidimos começar encontrando maneiras de administrar os gatilhos internos que estavam levando aos nossos comportamentos indesejáveis.

Criamos uma regra de dez minutos e prometemos que, se quiséssemos mesmo usar um dispositivo à noite, esperaríamos dez minutos antes de fazê-lo. A regra nos dava um tempo para "surfar na onda do impulso" e incluía uma pausa para postergar a ação que, de outra forma, seria automática.

Conectamos nosso roteador de internet e monitores a *timers* de tomada configurados para desligar às 10 da noite. Esse pacto de esforço nos forçava a nos enfiar debaixo da mesa para ligar a tomada sempre que quiséssemos "trapacear".

Em resumo, conseguimos progredir aplicando os quatro métodos para nos tornar indistraíveis. Aprendemos a lidar com o estresse de impedir nossa compulsão de usar as tecnologias à noite e, com o tempo, foi ficando mais fácil resistir. Agendamos um rigoroso horário para dormir, fizemos do nosso quarto um espaço sagrado e deixamos os gatilhos externos, como celulares e a TV, do lado de fora. Os *timers* de tomada que desligavam as distrações indesejadas todo dia na mesma hora nos ajudaram a cumprir nosso pré-compromisso. Começamos a usar o tempo que sobrava resultante do maior controle sobre os nossos hábitos para fins mais "produtivos".

Apesar de nos orgulharmos muito da nossa gambiarra para bloquear a tecnologia, muitos roteadores, como o Eero, já vêm com a funcionalidade de desligar a internet em horários programados.[3] Se eu perder a noção do tempo e tentar checar o e-mail depois das 10 da noite, uma mensagem do meu roteador me lembra de desligar o computador e ficar com a minha esposa.

As distrações podem desgastar até os nossos relacionamentos mais íntimos. O custo da possibilidade de nos conectar com qualquer pessoa em qualquer lugar do mundo é não estarmos totalmente presentes com a pessoa que está fisicamente ao nosso lado.

Minha esposa e eu continuamos adorando nossos *gadgets* e recebemos de braços abertos todas as inovações que tiverem o potencial de melhorar nossa vida, mas queremos nos beneficiar das tecnologias sem ter de sofrer os efeitos corrosivos que elas podem ter sobre o nosso relacionamento. Ao aprender a lidar com os nossos gatilhos internos, alocar um tempo para as coisas que realmente queremos fazer, remover os gatilhos externos e aplicar pré-compromissos, finalmente conseguimos vencer as distrações no nosso relacionamento.

Como vimos na Parte 1, "Ser indistraível implica empenhar-se para fazer o que você diz que pretende fazer". Empenhar-se significa "dedicar-se com afinco; aplicar-se".[4] Não significa ser perfeito ou jamais fracassar. Como todo mundo, eu ainda tenho dificuldades com as distrações às vezes. Quando estou muito estressado ou minha agenda muda inesperadamente, eu posso perder o rumo.

Por sorte, os cinco anos que passei pesquisando e escrevendo este livro me ensinaram a combater as distrações e vencer. As distrações são inevitáveis, mas agora eu sei o que fazer para elas não controlarem a minha vida. Essas técnicas me permitiram assumir o controle da minha vida de maneira que eu nunca tinha conseguido antes. Sou sincero comigo mesmo e com os outros, vivo de acordo com os meus valores, mantenho meus compromissos com as pessoas mais importantes da minha vida e sou mais profissionalmente produtivo do que nunca.

Um dia desses, voltei a falar com a minha filha sobre o superpoder que ela queria. Depois de me desculpar por não estar totalmente presente quando tivemos aquela conversa, pedi que ela repetisse a resposta, e o que ela disse me deixou boquiaberto: ela disse que queria o poder de ser sempre gentil com as pessoas.

Depois de enxugar as lágrimas e lhe dar um grande abraço, levei um tempo para pensar sobre a resposta. Percebi que ser gentil não era um superpoder místico que só poderia ser conquistado .com alguma rara poção mágica. Todos nós temos o poder de ser gentis sempre que quisermos. Só precisamos mobilizar o poder que já temos dentro de nós.

O mesmo pode ser dito de ser indistraível. Quando nos tornamos indistraíveis, podemos dar um exemplo às pessoas do nosso convívio. No trabalho, podemos usar essas táticas para transformar nossas organizações e criar um efeito dominó. Em casa, podemos inspirar nossa família a experimentar os métodos e viver de acordo com seus valores.

Todos nós podemos nos empenhar para fazer o que nos propomos a fazer. Todos nós temos o poder de ser indistraíveis.

> ## ★ LEMBRE-SE DISSO
>
> - **As distrações podem desgastar até os nossos relacionamentos mais íntimos.** A conectividade digital instantânea pode nos impedir de estar totalmente presentes com as pessoas que estão ao nosso lado.
> - **Parceiros indistraíveis recuperam o controle de seu tempo e o usam para ficar juntos.** Ao seguir os quatro passos para se tornar indistraível, você terá mais tempo para o seu parceiro.
> - **Agora é a sua vez de se tornar indistraível!**

Você gostou deste livro?

Parabéns e obrigado por ler este livro até o fim! Espero que você se beneficie muito do que aprendeu aqui.

Se tiver um tempinho, gostaria que você avaliasse este livro na internet, pois isso me ajudaria muito. Sua avaliação pode incentivar as pessoas a ler *(In)distraível* e seria um *grande favor pessoal* para mim.

Agradeço desde já! Deixe a sua avaliação no site:

NirAndFar.com/ReviewIndistractable

E não deixe de me mandar quaisquer dúvidas, comentários, sugestões ou opiniões no site:

NirAndFar.com/Contact

Meus mais sinceros agradecimentos!

Nir

Principais lições dos capítulos

INTRODUÇÃO

- **Capítulo 1:** Para viver a vida que você quer, você precisa não só fazer as coisas certas como também evitar fazer as coisas erradas.

- **Capítulo 2:** A *tração* o aproxima das coisas que você realmente quer, enquanto a *distração* o afasta dessas coisas. Ser indistraível implica empenhar-se para fazer o que você se propõe a fazer.

PARTE 1: DOMINE OS SEUS GATILHOS INTERNOS

- **Capítulo 3:** Toda motivação é um desejo de fugir do desconforto. Identifique as causas fundamentais, e não as causas imediatas, das distrações.

- **Capítulo 4:** Aprenda a lidar com o desconforto em vez de usar as distrações para tentar fugir dele.

- **Capítulo 5:** Pare de tentar suprimir os seus impulsos. Isso só os fortalece. O melhor é simplesmente observá-los e deixar que eles desapareçam por conta própria.

- **Capítulo 6:** Reimagine o gatilho interno. Identifique a emoção negativa que precede a distração, anote-a e observe sensação negativa com curiosidade, e não com desprezo.

- **Capítulo 7:** Reimagine a tarefa. Transforme a tarefa em um jogo, prestando muita atenção aos detalhes, mesmo se parecerem bobagens ou até absurdos. Faça de tudo para procurar elementos novos na tarefa.

- **Capítulo 8:** Reimagine o seu temperamento. Aquela voz que fica falando na sua cabeça tem um poder incrível. Se você acreditar que a força de vontade é um recurso limitado, sua força de vontade de fato vai se exaurir. Evite rotular-se como uma pessoa "que se distrai facilmente" ou que tem uma "personalidade viciante".

PARTE 2: ARRANJE UM TEMPO PARA A TRAÇÃO

- **Capítulo 9:** Traduza os seus valores em tempo. Programe rigorosamente o seu dia criando um modelo de agenda ideal.

- **Capítulo 10:** Programe um tempo para si mesmo. Planeje o que entra, e os resultados se seguirão automaticamente.

- **Capítulo 11:** Inclua os relacionamentos importantes na sua agenda. Inclua as tarefas domésticas bem como um tempo para passar com a família. Agende uma programação regular para seus amigos.

- **Capítulo 12:** Alinhe a sua agenda com os interesses das pessoas no trabalho.

PARTE 3: DEFENDA-SE DO HACKING DOS SEUS GATILHOS EXTERNOS

- **Capítulo 13:** Para cada gatilho externo, pergunte: "O gatilho está trabalhando para mim ou sou eu que estou trabalhando para o gatilho?" Este gatilho leva à tração ou à distração?

- **Capítulo 14:** Defenda seu foco. Deixe claro quando você não quiser ser interrompido.

- **Capítulo 15:** Para receber menos e-mails, envie menos e-mails. Ao checar os e-mails, marque cada mensagem com a data em que você vai precisar responder e responda no horário programado para isso.

- **Capítulo 16:** Entre e saia dos grupos de mensagens em horários programados. Só envolva as pessoas necessárias para resolver uma questão e não use o grupo para "pensar em voz alta".

- **Capítulo 17:** Dificulte marcar reuniões. Sem pauta, nada de reunião. As reuniões só podem ser marcadas para chegar a um consenso, não para resolver problemas. Deixe todos os dispositivos fora da sala de reunião, exceto um computador para apresentar informações e fazer anotações.

- **Capítulo 18:** Use aplicativos que causam distração no seu computador, e não no smartphone. Organize os aplicativos e administre as notificações no smartphone. Ative o recurso "Não perturbe".

- **Capítulo 19:** Desative as notificações no computador. Remova as distrações potenciais da sua área de trabalho.

- **Capítulo 20:** Salve artigos on-line no Pocket para ler ou ouvir em um horário programado. Use a "multitarefa multicanal".

- **Capítulo 21:** Use extensões de navegador feitas para remover distrações das mídias sociais. Você encontrará links para outras ferramentas em NirAndFar.com/Indistractable.

PARTE 4: FAÇA PACTOS PARA EVITAR AS DISTRAÇÕES

- **Capítulo 22:** O antídoto para a impulsividade é o planejamento. Planeje as situações nas quais você tem mais chances de se distrair.

- **Capítulo 23:** Use pactos de esforço para dificultar os comportamentos indesejados.

- **Capítulo 24:** Use um pacto de preço para aumentar o custo das distrações.

- **Capítulo 25:** Use pactos de identidade como um pré-compromisso para reforçar uma autoimagem. Veja-se como uma pessoa "indistraível".

PARTE 5: TRANSFORME O SEU TRABALHO EM UM LUGAR INDISTRAÍVEL

- **Capítulo 26:** É estressante trabalhar em um lugar onde se espera que as pessoas se mantenham o tempo todo conectadas.

- **Capítulo 27:** O uso excessivo das tecnologias no trabalho é um sintoma de uma cultura organizacional disfuncional. A causa fundamental é uma cultura que oferece pouca "segurança psicológica".

- **Capítulo 28:** Para criar uma cultura que valoriza o trabalho focado, comece aos poucos, encontrando maneiras de facilitar um diálogo aberto entre os colegas sobre o problema.

PARTE 6: CRIE FILHOS INDISTRAÍVEIS (E POR QUE TODOS NÓS PRECISAMOS DE NUTRIENTES PSICOLÓGICOS)

- **Capítulo 29:** Identifique as causas fundamentais da distração dos seus filhos. Ensine o Modelo Indistraível de quatro etapas.

- **Capítulo 30:** Faça de tudo para satisfazer as necessidades psicológicas dos seus filhos. Todo mundo precisa ter um senso de autonomia, competência e conexão. Se as necessidades dos seus filhos não forem satisfeitas no mundo real, eles recorrerão aos mundos on-line.

- **Capítulo 31:** Ensine os seus filhos a planejar rigorosamente sua agenda. Dê a eles autonomia para alocar um tempo para atividades prazerosas, inclusive um tempo para passar on-line.

- **Capítulo 32:** Trabalhe com seus filhos para remover gatilhos externos que só atrapalham. Veja se eles sabem como desativar os gatilhos que levam à distração e evite ser um gatilho externo também.

- **Capítulo 33:** Ajude seus filhos a fazer pactos e deixe claro que eles são responsáveis por administrar as próprias distrações. Ensine que a distração é um problema que pode ser resolvido e que ser indistraível é uma capacidade que vai ajudá-los por toda a vida.

PARTE 7: TENHA RELACIONAMENTOS INDISTRAÍVEIS

- **Capítulo 34:** Quando alguém usar um dispositivo em uma situação social, diga: "Estou vendo que você está ao celular. Está tudo bem aí?"

- **Capítulo 35:** Remova os dispositivos do seu quarto e configure o roteador para desligar a internet automaticamente em um horário específico.

Modelo de Agenda

Para um modelo gratuito de agenda (em inglês), visite NirAndFar.com/Indistractable.

Tabela de Monitoramento de Distrações

(Veja instruções no Capítulo 9.)

Horário	Distração	Como me senti	Gatilho interno	Gatilho externo	Problema de planejamento	Possíveis soluções
8h15	Li as notícias na internet	Ansioso	X			Surfar na onda do impulso
9h32	Naveguei na internet em vez de escrever	Frustrado	X			Definir uma meta de tempo para o trabalho focado e ver se consigo atingi-la

Agradecimentos

Levei mais de cinco anos para escrever este livro e sou grato a muitas pessoas por suas contribuições para este projeto.

Antes de tudo, gostaria de deixar meus mais profundos agradecimentos à minha parceira no trabalho e na vida, Julie Li. É impossível dizer o quanto valorizo toda a ajuda que recebi dela para este projeto. Julie me deixou contar histórias pessoais sobre o nosso casamento, mostrou-se sempre disposta a testar ideias e táticas e passou incontáveis horas melhorando este texto. Percorremos esta trajetória juntos a cada passo do caminho e ela me motiva e me inspira a ser uma pessoa melhor.

Também gostaria de agradecer a Jasmine, minha filha, que não só me inspirou a me tornar indistraível como (com seu jeitinho de menina de 10 anos) também deu inúmeras sugestões para o título, para a capa e para promover o livro.

E, é claro, sou extremamente grato a meus pais, Ronit e Victor, e meus sogros, Anne e Paul, por todo o incentivo. Seu apoio e entusiasmo por todos os meus projetos malucos são importantíssimos para mim.

Devo minha gratidão a todas as pessoas intrépidas que toparam ler os primeiros manuscritos deste livro. Sou muito grato a Eric Barker, Caitlin Bauer, Gaia Bernstein, Jonathan Bolden, Cara Cannella, Linda Cyr, Geraldine DeRuiter, Kyle Eschenroeder, Monique Eyal, Omer Eyal, Rand Fishkin, Jose Hamilton, Wes Kao, Josh Kaufman, Carey Kolaja, Carl Marci, Jason Ogle, Ross Overline, Taylor Pearson, Jillian Richardson, Alexandra Samuel, Oren Shapira, Vikas Singhal, Shane Snow, Charles Wang e Andrew Zimmermann. Sei que não é muito divertido ler o rascunho de um livro e sou profundamente grato por todos os comentários e sugestões.

Muito obrigado a Christy Fletcher e sua equipe por me ajudar a encontrar uma editora para este livro. Christy é uma agente literária espetacular e lhe devo uma enorme gratidão pelas orientações e amizade. Sou grato a Melissa Chinchillo, Grainne Fox, Sarah Fuentes, Veronica Goldstein, Elizabeth Resnick e Alyssa Taylor, da Fletcher & Co.

Também gostaria de agradecer a Stacy Creamer da Audible e à equipe da BenBella, incluindo Sarah Avinger, Heather Butterfield, Jennifer Canzoneri, Lise Engel, Stephanie Gorton, Aida Herrera, Alicia Kania, Adrienne Lang, Monica Lowry, Vy Tran, Susan Welte, Leah Wilson e Glenn Yeffeth por todo o empenho em levar este livro ao mercado.

Alexis Kirschbaum, da Bloomsbury, foi muito além do que qualquer autor esperaria de uma editora e fez melhorias incríveis no livro. Ela e seus colegas, incluindo Hermione Davis, Thi Dinh, Genevieve Nelsson, Andy Palmer, Genista Tate-Alexander e Angelique Tran Van Sang, merecem minha profunda gratidão.

Sou grato às pessoas a seguir pela ajuda na pesquisa, edição e melhoria deste livro: Karen Beattie, Matthew Gartland, Jonah Lehrer, Janna Marlies Maron, Mickayla Mazutinec, Paulette Perhach, Chelsea Robertson, Ray Sylvester e AnneMarie Ward.

Meus agradecimentos especiais a Thomas Kjemperud e Andrea Schumann por me ajudar a manter o site NirAndFar.com. Também sou grato a Carla Cruttenden, Damon Nofar e Brett Red pelas ilustrações deste livro e a Rafael Arizaga Vaca pela ajuda em todos os meus outros incontáveis projetos. Não tenho palavras para agradecer a todas essas pessoas maravilhosas!

Também devo minha gratidão às pessoas a seguir por todo o apoio moral e intelectual: Arianna Huffington, pelo entusiasmo por este projeto; Mark Manson, Taylor Pearson e Steve Kamb, por toparem trabalhar comigo e me ajudarem a manter o foco ao escrever este livro; Adam Gazzaley, pela generosidade em me ceder o domínio Indistractable.com; e James Clear, Ryan Holiday, David Kadavy, Fernanda Neute, Shane Parrish, Kim Raices, Gretchen Rubin, Tim Urban, Vanessa Van Edwards,

Alexandra Watkins e Ryan Williams pelas excelentes orientações e conselhos.

Sei que devo ter deixado de incluir algumas pessoas importantíssimas. Além de seu perdão, peço que se lembrem da navalha de Hanlon: "Nunca atribua à maldade o que pode ser adequadamente explicado pela estupidez". Mil desculpas e muito obrigado!

Por fim, e o mais importante, sou extremamente grato a você, leitor. Saber que você decidiu alocar seu precioso tempo e atenção a este livro significa muito para mim. Fique mais do que à vontade para entrar em contato comigo em NirAndFar.com/Contact.

Colaboradores

Sou grato aos leitores fiéis do meu blog por toda ajuda na edição de *(In)distraível*. Sem suas ideias, sugestões e incentivo, este livro sem dúvida não ficaria tão bom.

Reed Abbott
Shira Abel
Zalman Abraham
Eveline van Acquoij
Daniel Adeyemi
Patrick Adiaheno
Sachin Agarwal
Avneep Aggarwal
Vineet Aggarwal
Abhishek Kumar Agrahari
Neetu Agrawal
Sonali Agrawal
Syed Ahmed
Matteus Åkesson
Stephen Akomolafe
Alessandra Albano
Chrissy Allan
Patricia De Almeida
Hagit Alon
Bos Alvertos
Erica Amalfitano
Mateus Gundlach Ambros
Iuliia Ankudynova

Tarkan Anlar
Lauren Antonoff
Jeremi Walewicz Antonowicz
Kavita Appachu
Yasmin Aristizabal
Lara Ashmore
Aby Atilola
Jeanne Audino
Jennifer Ayers
Marcelo Schenk de Azambuja
Xavier Baars
Deepinder Singh Babbar
Rupert Bacon
Shampa Bagchi
Warren Baker
Tamar Balkin
Giacomo Barbieri
Surendra Bashani
Asya Bashina
Omri Baumer
Jeff Beckmen
Walid Belballi

Jonathan Bennun
Muna Benthami
Gael Bergeron
Abhishek Bhardwaj
Kunal Bhatia
Marc Biemer
Olia Birulia
Nancy Black
Eden Blackwell
Charlotte Blank
Kelli Blum
Rachel Bodnar
Stephan Borg
Mia Bourgeois
Charles Brewer
Sam Brinson
Michele Brown
Ryan Brown
Jesse Brown
Sarah E. Brown
Michelle E. Brownstein
John Bryan
Renée Buchanan

Colaboradores • 253

Scott Bundgaard
Steve Burnel
Michael Burroughs
Tamar Burton
Jessica Cameron
Jerome Cance
Jim Canterucci
Ryan Capple
Savannah Carlin
James Carman
Karla H. Carpenter
Margarida Carvalho
Anthony Catanese
Shubha Chakravarthy
Karthy Chandra
Joseph Chang
Jay Chaplin
David Chau
Janet Y. Chen
Ari Cheskes
Dennis Chirwa
Kristina Yuh-Wen Chou
Ingrid Choy-Harris
William Chu
Michelle M. Chu
Jay Chung
Matthew Cinelli
Sergiu Vlad Ciurescu

Trevor Claiborne
Kay Krystal Clopton
Heather Cloward
Lilia M. Coburn
Pip Cody
Michele Helene Cohen
Luis Colin
Abi Collins
Kerry Cooper
Dave Cooper
Simon Coxon
Carla Cruttenden
Dmitrii Cucleschin
Patrick Cullen
Leo Cunningham
Gennaro Cuofano
Ed Cutshaw
Larry Czerwonka
Lloyd D'Silva
Jonathan Dadone
Sharon F. Danzger
Kyle Huff David
Lulu Davies
James Davis Jr.
Joel Davis
Cameron Deemer
Stephen Delaney
Keval D. Desai
Ankit S. Dhingra

Manuel Dianese
Jorge Dieguez
Lisa Hendry Dillon
Sam Dix
Lindsay Donaire
Ingrid Elise Dorai-Rekaa
Tom Droste
Nan Duangnapa
Scott Dunlap
Akhilesh Reddy Dwarampudi
Swapnil Dwivedi
Daniel Edman
Anders Eidergard
Dudi Einey
Max Elander
Ori Elisar
Katie Elliott
Gary Engel
David Ensor
Eszter Erdelyi
Ozge Ergen
Bec Evans
David Evans
Shirley Evans
Jeff Evernham
Kimberly Fandino
Kathlyn Farrell
Hannah Farrow

Michael Ferguson
Nissanka Fernando
Margaret Fero
Kyra Fillmore
Yegor Filonov
Fabian Fischer
Jai Flicker
Collin Flotta
Michael Flynn
Kaleigh Flynn
Gio Focaraccio
Ivan Foong
Michael A. Foster II
Martin Foster
Jonathan Freedman
Heather Friedland
Janine Fusco
Pooja V. Gaikwad
Mario Alberto Galindo
Mary Gallotta
Zander Galloway
Sandra Gannon
Angelica Garcia
Anyssa Sebia Garza
Allegra Gee
Tom Gilheany
Raji Gill
Scott Gillespie
Scott Gilly

Wendell Gingerich
Kevin Glynn
Paula Godar
Jeroen Goddijn
Anthony Gold
Dan Goldman
Miguel H. Gonzalez
Sandra Catalina González
Vijay Gopalakrishnan
Herve Le Gouguec
Nicholas Gracilla
Charlie Graham
Timothy L. Graham
Shawn Green
Chris Greene
Jennifer Griffin
Dani Grodsky
Rebecca Groner
Saksham Grover
Alcide Guillory III
Roberta Guise
Anjana Gummadivalli
Matt Gummow
Amit Gupta
John Haggerty
Martin Haiek
Lance Haley
Thomas Hallgren

Eric Hamilton
Caroline Hane-Weijman
Nickie Harber-Frankart
Julie Harris
Sophie Hart
Daniel Hegman
Christopher Heiser
Lisa Helminiak
Alecia Helton
Mauricio Hess-Flores
Holly Hester-Reilly
Andrea Hill
Neeraj Hirani
Isabella Catarina Hirt
Charlotte Jane Ho
Ian Hoch
Travis Hodges
Jason Hoenich
Alex J. Holte
Abi Hough
Mary Howland
Evan Huggins
Nathan Hull
Novianta L. T. Hutagalung
Marc Inzelstein
Varun Iyer
Britni Jackson

Mahaveer Jain
Abdellah Janid
Anne Janzer
Emilio Jéldrez
Debbie Jenkins
Alexandre Jeong
Amy M. Jones
Daniela Jones
Peter Jotanovic
Cindy Joung
Sarah Jukes
Steve Jungmann
Rocel Ann Junio
Kevin Just
Ahsan Kabir
Ariel Kahan
Sina Kahen
Sarah Kajani
Angela Kapdan
Shaheen Karodia
Irene Jena Karthik
Melissa Kaufmann
Gagandeep Kaur
Megan Keane
J. Bavani Kehoe
Karen Kelvie
Erik Kemper
Raye Keslensky
Jenny Shaw Kessler

Jeremy C. Kester
Kirk Ketefian
Nathan Khakshouri
Sarah Khalid
Sam Kirk
Rachel Kirton
Vinod Kizhakke
Samuel Koch
Alaina Koerber
Sai Prabhu Konchada
Jason Koprowski
Basavaraj Koti
Yannis Koutavas
David Kozisek
Aditya Kshirsagar
Ezekiel Kuang
Craig Kulyk
Ram Kunda
Ravi Kurani
Chris Kurdziel
Dimitry Kushelevsky
John Kvasnic
Jonathan Lai
Michael J. Lally
Roy Lamphier
Craig Lancaster
Niklas Laninge
Simon Lapscher
Angelo Larocca

Norman Law
Olga Lefter
Tory Leggat
Ieva Lekaviciute
Audrey Leung
Viviana Leveghi
Isaac E. H. Lewis
Belly Li
Sammy Chen Li
Philip Li
Robert Liebert
Brendan Lim
Carissa Lintao
Ross Lloyd Lipschitz
Mitchell Lisle
Mike Sho Liu
Shelly Eisen Livneh
John Loftus
Philip K. Lohr
Sune Lomholt
Sean Long
Alexis Longinotti
Glen Lubbert
Ana Lugard
Kenda Macdonald
Boykie Mackay
Andy Maes
Kristof Maeyens
Lisa Maldonado

Amin Malik
Danielle Manello
Frank Manue Jr.
Dan Mark
Kendra Markle
Ben Marland
Rob Marois
Judy Marshall
Levi Mårten
Denise J. Martin
Megan Martin
Kristina Corzine Martinez
Saji Maruthurkkara
Laurent Mascherpa
Mark Mavroudis
Ronny Max
Eva A. May
Lisa McCormack
Gary McCue
Michael McGee
Robert McGovern
Lyle McKeany
Sarah McKee
Marisa McKently
Erik van Mechelen
Hoda Mehr
Jonathan Melhuish
Sheetal G. Melwani

Ketriel J. Mendy
Valerae Mercury
Andreia Mesquita
Johan Meyer
Kaustubh S. Mhatre
Stéphanie Michaux
Ivory Miller
Jason Ming
Al Ming
Jan Miofsky
Ahmed A. Mirza
Peter Mitchell
Mika Mitoko
Meliza Mitra
Subarna Mitra
Aditya Morarka
Amina Moreau
David Morgan
Renee F. Morris
Matthew Morrisson
Alexandra Moxin
Alex Moy
Brian Muldowney
Namrata Mundhra
Jake Munsey
Mihnea Munteanu
Kevin C. Murray
Serdar Muslu
Karan Naik

Isabelle Di Nallo
Jeroen Nas
Vaishakhi Nayar
Jordan Naylor
Christine Neff
Jamie Nelson
Kemar Newell
Lewis Kang'ethe Ngugi
Chi Gia Nguyen
Christopher Nheu
Gerard Nielsen
Adam Noall
Tim Noetzel
Jason Nokes
Craig Norman
Chris Novell
Thomas O'Duffy
Scott Oakes
Cheily Ochoa
Leon Odey-Knight
Kelechi Okorie
Oluwatobi Oladiran
Valary Oleinik
Sue Olsen
Alan Olson
Gwendolyn Olton
Maaike Ono-Boots
Brian Ostergaard
Roland Osvath

Colaboradores

Renz Pacheco
Nina Pacifico
Sumit Pahwa
Girri M. Palaniyapan
Vishal Kumar Pallerla
Rohit Pant
Chris V. Papadimitriou
Nick Pape
Divya Parekh
Rich Paret
Alicia Park
Aaron Parker
Steve Parkinson
Mizue Parrott
Lomit Patel
Manish Patel
Swati Patil
Jon Pederson
Alon Peled
Rodaan Peralta-Rabang
Marco Perlman
Christina Diem Pham
Hung Phan
Ana Pischl
Keshav Pitani
Rose La Prairie
Indira Pranabudi
Anne Curi Preisig
Julie Price

Martin Pritchard
Rungsun Promprasith
Krzysztof Przybylski
Edmundas Pučkorius
Călin Pupăză
Daisy Qin
Lien Quach
Colin Raab
Kelly Ragle
Ruta Raju
Lalit Raju
Kim Ramirez
Prashanthi Ravanavarapu
Gustavo Razzetti
Omar Regalado
Scott W. Rencher
Brian Rensing
Joel Rigler
Michelle Riley
Gina Riley
Ioana Rill
Mark Rimkus
Cinzia Rinelli
Chelsea Lyn Robertson
Bridgitt Ann Robertson
Reigh Robitaille
Cynthia Rodriguez
Annette Rodriguez

Charles François Roels
Linda Rolf
Edgar Roman
Mathieu Romary
Jamie Rosen
Al Rosenberg
Joy Rosenstein
Christian Röß
Megan Rounds
Ruzanna Rozman
Isabel Russ
Mark Ruthman
Samantha Ryan
Alex Ryan
Kimberly Ryan
Jan Saarmann
Guy Saban
Victoria Sakal
Luis Saldana
Daniel Tarrago Salengue
Gabriel Michael Salim
Jessica Salisbury
Rick Salsa
Francesco Sanavio
Antonio J. Martinez Sanchez
Moses Sangobiyi
Julia Saxena
Stephanie Schiller

Lynnsey Schneider
Kirk Schueler
Katherine Schuetzner
Jon Seaton
Addy Suhairi Selamat
Vishal Shah
Shashi Sharma
Keshav Sharma
Ruchil Sharma
Ashley Sheinwald
Stephanie Sher
Jing Han Shiau
Claire Shields
Greg Shove
Karen Shue
Kome Sideso
David Marc Siegel
Dan Silberberg
Bianca Silva
Mindy Silva
Brian L. Silva
Zach Simon
Raymond Sims
Shiv Sivaguru
Malin Sjöstrand
Antoine Smets
Sarah Soha
Steven Sohcot
Kaisa Soininen

David Spencer
James Taylor Stables
Kurt Stangl
Laurel Stanley
John A. Starmer
Juliano Statdlober
Christin Staubo
Ihor Stecko
Nick Di Stefano
Murray Steinman
Alexander Stempel
Seth Sternberg
Anthony Sterns
Shelby Stewart
Adam Stoltz
Alan Stout
Carmela Stricklett
Scott Stroud
Swetha Suresh
Sarah Surrette
Cathleen Swallow
Bryan Sykes
Eric Szulc
Lilla Tagai
Michel Tagami
J. P. Tanner
Shantanu Tarey
Claire Tatro
Harry E. Tawil

Noreen Teoh
C. J. Terral
Amanda Tersigni
Matt Tharp
Nay Thein
Brenton Thornicroft
Julianne Tillmann
Edwin Tin
Avegail Tizon
Zak Tomich
Roger Toor
Anders Toxboe
Jimmy Tran
Tom Trebes
Artem Troinoi
Justin Trugman
Kacy Turelli
Kunal Haresh Udani
Christian von Uffel
Jason Ugie
Matt Ulrich
Branislav Vajagić
Lionel Zivan Valdellon
Steve Valiquette
Jared Vallejo
René Van der Veer
Anulekha Venkatram
Poornima
Vijayashanker

Claire Viskovic
Brigit Vucic
Thuy Vuong
Sean Wachsman
Maurizio Wagenhaus
Amelia Bland Waller
Shelley Walsh
Trish Ward
Levi Warvel
Kafi Waters
Adam Waxman
Jennifer Wei
Robin Tim Weis
Patrick Wells
Gabriel Werlich
Scott Wheelwright
Ed Wieczorek
Ward van de Wiel
Hannah Mary Williams
Robert Williger
Jean Gaddy Wilson
Rob Wilson
Claire Winter
Trevor Witt
Fanny Wu
Alex Wykoff
Maria Xenidou
Raj Yadav
Josephine Yap
Arsalan Yarveisi
Yoav Yechiam
Andrew Yee
Paul Anthony Yu
Mohamad Izwan Zakaria
Jeannie Zapanta
Anna Zaremba
Renee Zau
Ari Zelmanow
Linda Zespy
Fei Zheng
Rona Zhou
Lotte Zwijnenburg

Notas

INTRODUÇÃO: DE *HOOKED* (ENGAJADO) A *INDISTRAÍVEL*

1. "Amazon Best Sellers: Best Sellers in Industrial Product Design", acessado em 29 out. 2017, www.amazon.com/gp/bestsellers/books/7921653011/ref=pd_zg_hrsr_b_1_6_last.

2. Paul Virilio, *Politics of the Very Worst* (Nova York: Semiotext(e), 1999), 89.

CAPÍTULO 1: QUAL É O SEU SUPERPODER?

1. Um jogo de palavras com a citação de Marthe Troly-Curtin: "O tempo que você tem prazer em desperdiçar não é um tempo desperdiçado", Quote Investigator, acessado em 19 ago. 2018, https://quoteinvestigator.com/2010/06/11/time-you-enjoy/.

CAPÍTULO 2: SEJA INDISTRAÍVEL

1. Eurípedes, *Orestes*, 4–13.

2. August Theodor Kaselowsky, *Tântalo e Sísifo em Hades*, pintura a óleo, ca. 1850, destruída, anteriormente mantida no Niobidensaal do Museu Neues, Berlim, Alemanha, https://commons.wikimedia.org/wiki/File:Tantalus-and-sisyphus-in-hades-august-theodor-kaselowsky.jpg.

3. Online Etymology Dictionary, s.v. "distraction", acessado em 15 jan. 2018, www.etymonline.com/word/distraction.

4. Louis Anslow, "What Technology Are We Addicted to This Time?", *Timeline*, 27 maio 2016, https://timeline.com/what-technology-are-we-addicted-to-this-time-f0f7860f2fab#.rfzxtvj1l.

5. Platão, *Phaedrus*, trad. Benjamin Jowett, 277a3–4, http://classics.mit.edu/Plato/phaedrus.html.

6. H. A. Simon, "Designing Organizations for an Information-Rich World" in *Computers, Communication, and the Public Interest*, ed. Martin Greenberger (Baltimore: Johns Hopkins Press, 1971), 40–41.

7. Hikaru Takeuchi et al., "Failing to Deactivate: The Association between Brain Activity During a Working Memory Task and Creativity", *NeuroImage* 55, n. 2 (15 mar. 2011): 681–87, https://doi.org/10.1016/j.neuroimage.2010.11.052; Nelson Cowan, "The Focus of Attention As Observed in Visual Working Memory Tasks: Making Sense of Competing Claims", *Neuropsychologia* 49, n. 6 (maio 2011): 1401–6, https://doi.org/10.1016/j.neuropsychologia.2011.01.035; P. A. Howard-Jones e S. Murray, "Ideational Productivity, Focus Of Attention, and Context", *Creativity Research Journal* 15, n. 2–3 (2003): 153–66, doi.org/10.1080/10400419.2003.9651409; Nilli Lavie, "Distracted and Confused? Selective Attention under Load", *Trends in Cognitive Sciences* 9, n. 2 (1 fev. 2005): 75–82, https://doi.org/10.1016/j.tics.2004.12.004; Barbara J. Grosz e Peter C. Gordon, "Conceptions of Limited Attention and Discourse Focus", *Computational Linguistics* 25, n. 4 (1999): 617–24, http://aclweb.org/anthology/J/J99/J99-4006; Amanda L. Gilchrist e Nelson Cowan, "Can the Focus of Attention Accommodate Multiple, Separate Items?", *Journal of Experimental Psychology, Learning, Memory, and Cognition* 37, n. 6 (nov. 2011): 1484–1502, https://doi.org/10.1037/a0024352.

8. Julianne Holt-Lunstad, Timothy B. Smith e J. Bradley Layton, "Social Relationships and Mortality Risk: A Meta-analytic Review", *PLOS Medicine* 7, n. 7 (27 jul. 2010), https://doi.org/10.1371/journal.pmed.1000316.

CAPÍTULO 3: O QUE REALMENTE N. MOTIVA?

1. Zoë Chance, "How to Make a Behavior Addictive", palestra no TEDx em TEDxMillRiver, 14 maio 2013, 16:57, www.youtube.com/watch?v=AHfiKav9fcQ.

2. Zoë Chance em entrevista com o autor, 16 maio 2014.

3. Jeremy Bentham, *An Introduction to the Principles of Morals and Legislation*, nova edição, corrigida pelo autor (1823; reimpr., Oxford: Clarendon Press, 1907), www.econlib.org/library/Bentham/bnthPML1.html.

4. Epicuro, "Letter to Menoeceus", em *Diogenes Laertius, Lives of Eminent Philosophers, Book X*, 131, https://en.wikisource.org/wiki/Lives_of_the_Eminent_Philosophers/Book_X.

5. Paul F. Wilson, Larry D. Dell e Gaylord F. Anderson, *Root Cause Analysis: A Tool for Total Quality Management* (Milwaukee: American Society for Quality, 1993).

6. Zoë Chance em uma conversa por e-mail com o autor, 11 jul. 2014.

CAPÍTULO 4: ADMINISTRAR O TEMPO NA VERDADE É ADMINISTRAR A DOR

1. Max Roser, "The Short History of Global Living Conditions and Why It Matters That We Kn. It", *Our World in Data*, acessado em 30 dez. 2017, https://ourworldindata.org/a-history-of-global-living-conditions-in-5-charts.

2. Adam Gopnik, "Man of Fetters", *New Yorker*, 1 dez. 2008, www.newyorker.com/magazine/2008/12/08/man-of-fetters.

3. R. F. Baumeister et al., "Bad Is Stronger than Good", *Review of General Psychology* 5, n. 4 (dez. 2001):323–70, https://doi.org/10.1037//1089-2680.5.4.323.

4. Timothy D. Wilson et al., "Just Think: The Challenges of the Disengaged Mind", *Science* 345, n. 6192 (4 jul. 2014): 75–77, https://doi.org/10.1126/science.1250830.

5. "Top Sites in United States", *Alexa*, acessado em 30 dez. 2017, www.alexa.com/topsites/countries/US.

6. Jing Chai et al., "Negativity Bias in Dangerous Drivers", *PLOS ONE* 11, n. 1 (14 jan. 2016), https://doi.org/10.1371/journal.pone.0147083.

7. Baumeister et al., "Bad Is Stronger than Good".

8. A. Vaish, T. Grossmann e A. Woodward, "Not All Emotions Are Created Equal: The Negativity Bias in Social-Emotional Development", *Psychological Bulletin* 134, n. 3 (2008): 383–403, https://doi.org/10.1037/0033-2909.134.3.383.

9. Baumeister et al., "Bad Is Stronger than Good".

10. Wendy Treynor, Richard Gonzalez e Susan Nolen-Hoeksema, "Rumination Reconsidered: A Psychometric Analysis", *Cognitive Therapy and Research* 27, n. 3 (1 jun. 2003): 247–59, https://doi.org/10.1023/A:1023910315561.

11. N. J. Ciarocco, K. D. Vohs e R. F. Baumeister, "Some Good News About Rumination: Task-Focused Thinking After Failure Facilitates Performance Improvement", *Journal of Social and Clinical Psychology* 29, n. 10 (2010): 1057–73, http://assets.csom.umn.edu/assets/166704.pdf.

12. K. M. Sheldon e S. Lyubomirsky, "The Challenge of Staying Happier: Testing the Hedonic Adaptation Prevention Model", *Personality and Social Psychology Bulletin*, 38 (23 fev. 2012): 670, http://sonjalyubomirsky.com/wp-content/themes/sonjalyubomirsky/papers/SL2012.pdf.

13. David Myers, *The Pursuit of Happiness* (Nova York: William Morrow & Co., 1992), 53.

14. Richard E. Lucas et al., "Reexamining Adaptation and the Set Point Model of Happiness: Reactions to Changes in Marital Status", *Journal of Personality and Social Psychology* 84, n. 3 (2003): 527–39, www.apa.org/pubs/journals/releases/psp-843527.pdf.

CAPÍTULO 5: LIDE COM AS DISTRAÇÕES DE DENTRO PARA FORA

1. "Jonathan Bricker, Psychologist and Smoking Cessation Researcher", Featured Researchers, Fred Hutch, acessado em 4 fev. 2018, www.fredhutch.org/en/diseases/featured-researchers/bricker-jonathan.html.

2. Fyodor Dostoevsky, *Winter Notes on Summer Impressions*, trad. David Patterson (1988; reimpr., Evanston, Ill: Northwestern University Press, 1997).

3. Lea Winerman, "Suppressing the 'White Bears'", *Monitor on Psychology* 42, n. 9 (out. 2011), https://www.apa.org/monitor/2011/10/unwanted-thoughts.

4. Nicky Blackburn, "Smoking—a Habit Not an Addiction", *ISRAEL21c* (18 jul. 2010), www.israel21c.org/smoking-a-habit-not-an-addiction/.

5. Reuven Dar et al., "The Craving to Smoke in Flight Attendants: Relations with Smoking Deprivation, Anticipation of Smoking, and Actual Smoking", *Journal of Abnormal Psychology* 119, n. 1 (fev. 2010): 248–53, https://doi.org/10.1037/a0017778.

6. Cecilia Cheng e Angel Yee-lam Li, "Internet Addiction Prevalence and Quality of (Real) Life: A Meta-analysis of 31 Nations Across Seven World Regions", *Cyberpsychology, Behavior, and Social Networking* 17, n. 12 (1 dez. 2014): 755–60, https://doi.org/10.1089/cyber.2014.0317.

CAPÍTULO 6: REIMAGINE O GATILHO INTERNO

1. Jonathan Bricker em uma conversa com o autor, ago. 2017.

2. Judson A. Brewer et al., "Mindfulness Training for Smoking Cessation: Results from a Randomized Controlled Trial", *Drug and Alcohol Dependence* 119, n. 1–2 (dez. 2011): 72–80, https://doi.org/10.1016/j.drugalcdep.2011.05.027.

3. Kelly McGonigal, *The Willpower Instinct: How Self-Control Works, Why It Matters, and What You Can Do to Get More of It* (Nova York: Avery Publishing, 2011).

4. "Riding the Wave: Using Mindfulness to Help Cope with Urge", *Portland Psychotherapy* (blog), 18 nov. 2011, https://portlandpsychotherapyclinic.com/2011/11/ridingwave-using-mindfulness-help-cope-urges/.

5. Sarah Bowen e Alan Marlatt, "Surfing the Urge: Brief Mindfulness-Based Intervention for College Student Smokers", *Psychology of Addictive Behaviors* 23, n. 4 (dez. 2009): 666–71, https://doi.org/10.1037/a0017127.

6. Oliver Burkeman, "If You Want to Have a Good Time, Ask a Buddhist", *Guardian*, 17 ago. 2018, www.theguardian.com/lifeandstyle/2018/aug/17/want-have-good-time-ask-a-buddhist.

CAPÍTULO 7: REIMAGINE A TAREFA

1. Ian Bogost, *Play Anything: The Pleasure of Limits, the Uses of Boredom, and the Secret of Games* (Nova York: Basic Books, 2016), 19.

2. "The Cure for Boredom Is Curiosity. There Is No Cure for Curiosity", Quote Investigator, acessado em 4 mar. 2019, https://quoteinvestigator.com/2015/11/01/cure/.

CAPÍTULO 8: REIMAGINE O SEU TEMPERAMENTO

1. *Oxford Dictionaries*, s.v. "temperament", acessado em 17 ago. 2018, https://en.oxforddictionaries.com/definition/temperament.

2. Roy F. Baumeister e John Tierney, *Willpower: Rediscovering the Greatest Human Strength*, 2. ed. (Nova York: Penguin, 2012).

3. M. T. Gailliot et al., "Self-Control Relies on Glucose as a Limited Energy Source: Willpower Is More than a Metaphor", *Journal of Personality and Social Psychology* 92, n. 2 (fev. 2007): 325–36, www.ncbi.nlm.nih.gov/pubmed/17279852.

4. Evan C. Carter e Michael E. McCullough, "Publication Bias and the Limited Strength Model of Self-Control: Has the Evidence for Ego Depletion Been Overestimated?", *Frontiers in Psychology* 5 (jul. 2014), https://doi.org/10.3389/fpsyg.2014.00823.

5. Evan C. Carter et al., "A Series of Meta-analytic Tests of the Depletion Effect: Self-Control Does Not Seem to Rely on a Limited Resource", *Journal of Experimental Psychology*, General 144, n. 4 (ago. 2015): 796–815, https://doi.org/10.1037/xge0000083.

6. Rob Kurzban, "Glucose Is Not Willpower Fuel", *Evolutionary Psychology* (blog), acessado em 4 fev. 2018, http://web.sas.upenn.edu/kurzbanepblog/2011/08/29/glucose-is-not-willpower-fuel/; Miguel A. Vadillo, Natalie Gold e Magda Osman, "The Bitter Truth About Sugar and Willpower: The Limited Evidential Value of the Glucose Model of Ego Depletion", *Psychological Science* 27, n. 9 (1 set. 2016): 1207–14, https://doi.org/10.1177/0956797616654911.

7. Veronika Job et al., "Beliefs About Willpower Determine the Impact of Glucose on Self-Control", *Proceedings of the National Academy of Sciences* 110, n. 37 (10 set. 2013): 14837–42, https://doi.org/10.1073/pnas.1313475110.

8. "Research", site oficial de Michael Inziicht, acessado em 4 fev. 2018, http://michaelinzlicht.com/research/.

9. "Craving Beliefs Questionnaire", acessado em 17 ago. 2018, https://drive.google.com/a/nireyal.com/file/d/0B0Q6Jkc_9z2DaHJaTndPMVVkY1E/view?usp=drive_open&usp=embed_facebook.

10. Nicole K. Lee et al., "It's the Thought That Counts: Craving Metacognitions and Their Role in Abstinence from Methamphetamine Use", *Journal of Substance Abuse Treatment* 38, n. 3 (abr. 2010): 245–50, https://doi.org/10.1016/j.jsat.2009.12.006.

11. Elizabeth Nosen e Sheila R. Woody, "Acceptance of Cravings: How Smoking Cessation Experiences Affect Craving Belief", *Behaviour Research and Therapy* 59 (ago. 2014): 71-81, https://doi.org/10.1016/j.brat.2014.05.003.

12. Hakan Turkcapar et al., "Beliefs as a Predictor of Relapse in Alcohol--Dependent Turkish Men", *Journal of Studies on Alcohol* 66, n. 6 (1 nov. 2005): 848-51, https://doi.org/10.15288/jsa.2005.66.848.

13. Steve Matthews, Robyn Dwyer e Anke Snoek, "Stigma and Self-Stigma in Addiction", *Journal of Bioethical Inquiry* 14, n. 2 (2017): 275-86, https://doi.org/10.1007/s11673-017-9784-y.

14. Ulli Zessin, Oliver Dickhäuser e Sven Garbade, "The Relationship Between Self-Compassion and Well-Being: A Meta-analysis", *Applied Psychology, Health and Well-Being* 7, n. 3 (nov. 2015): 340-64, https://doi.org/10.1111/aphw.12051.

15. Denise Winterman, "Rumination: The Danger of Dwelling", BBC News, 17 out. 2013, www.bbc.com/news/magazine-24444431.

CAPÍTULO 9: TRADUZA OS SEUS VALORES EM TEMPO

1. Johann Wolfgang von Goethe, *Maxims and Reflections*, ed. Peter Hutchinson, trad. Elisabeth Stopp (Nova York: Penguin, 1999).

2. Sêneca, *On the Shortness of Life*, trad. C. D. N. Costa (Nova York: Penguin, 2005).

3. Saritha Kuruvilla, *A Study of Calendar Usage in the Workplace*, Promotional Products Association International, 2011, acessado em 31 jan. 2018, http://static.ppai.org/documents/business%20study%20final%20report%20version%204.pdf.

4. Uma referência a Zig Ziglar, que disse a mesma coisa de um jeito um pouco diferente: "Se você não planejar seu tempo, alguém vai se encarregar de ajudá-lo a desperdiçá-lo". Zig Ziglar e Tom Ziglar, *Born to Win: Find Your Success Code* (Seattle: Made for Success Publishing, 2012), 52.

5. Russ Harris e Steven Hayes, *The Happiness Trap: How to Stop Struggling and Start Living* (Boston: Trumpeter Books, 2008), 167.

6. Massimo Pigliucci, "When I Help You, I Also Help Myself: On Being a Cosmopolitan", *Aeon*, 17 nov. 2017, https://aeon.co/ideas/when-i-help-you-i-also-help-myself-on-being-a-cosmopolitan.

7. Scott Barry Kaufman, "Does Creativity Require Constraints?", *Psychology Today*, 30 ago. 2011, www.psychologytoday.com/blog/beautiful-minds/201108/does-creativity-require-constraints.

8. P. M. Gollwitzer, "Implementation Intentions: Strong Effects of Simple Plans", *American Psychologist* 54, n. 7 (jul. 1999): 493–503, https://dx.doi.org/10.1037/0003-066X.54.7.493.

CAPÍTULO 10: CONTROLE O QUE ENTRA, NÃO O QUE SAI

1. Lynne Lamberg, "Adults Need 7 or More Hours of Sleep Every Night", *Psychiatric News*, 17 set. 2015, https://psychnews.psychiatryonline.org/doi/10.1176/appi.pn.2015.9b12.

2. "What Causes Insomnia?", National Sleep Foundation, acessado em 11 set. 2018, https://sleepfoundation.org/insomnia/content/what-causes-insomnia.

CAPÍTULO 11: INCLUA OS RELACIONAMENTOS IMPORTANTES NA SUA AGENDA

1. David S. Pedulla e Sarah Thébaud, "Can We Finish the Revolution? Gender, Work-Family Ideals, and Institutional Constraint", *American Sociological Review* 80, n. 1 (1 fev. 2015): 116–39, https://doi.org/10.1177/0003122414564008.

2. Lockman, Darcy, "Analysis: Where Do Kids Learn to Undervalue Women? From Their Parents", Washington Post, 10 nov. 2017, sec. Outlook https://www.washingtonpost.com/outlook/where-do-kids-learn-to-undervalue-women-from-their-parents/2017/11/10/724518b2-c439-11e7-afe9-4f60b5a6c4a0_story.html.

3. George E. Vaillant, Xing-jia Cui e Stephen Soldz, "The Study of Adult Development", Harvard Department of Psychiatry, acessado em 9 nov. 2017, www.adultdevelopmentstudy.org.

4. Robert Waldinger, "The Good Life", palestra do TEDx em TEDxBeaconStreet, 30 nov. 2015, 15:03, www.youtube.com/watch?v=q-7zAkwAOYg.

5. Julie Beck, "How Friendships Change in Adulthood", *Atlantic*, 22 out. 2015, www.theatlantic.com/health/archive/2015/10/how-friendships-change-over-time-in-adulthood/411466/.

CAPÍTULO 12: ALINHE A SUA AGENDA COM OS INTERESSES DAS PESSOAS NO TRABALHO

1. "Neverfail Mobile Messaging Trends Study Finds 83% of Users Admit to Using a Smartphone to Check Work Email After Hours", *Neverfail* via PRNewswire, 22 nov. 2011, www.prnewswire.com/news-releases/neverfail-mobile-messaging-trends-study-finds-83-percent-of-users-admit-to-using-a-smartphone-to-check-work-email-after-hours-134314168.html.

2. Marianna Virtanen et al., "Long Working Hours and Cognitive Function: The Whitehall II Study", *American Journal of Epidemiology* 169, n. 5 (mar. 2009): 596–605, http://dx.doi.org/10.1093/aje/kwn382.

CAPÍTULO 13: FAÇA A PERGUNTA CRUCIAL

1. Wendy em entrevistas com o autor, jan. 2018.

2. *Oxford Dictionaries*, s.v. "hack", acessado em 11 set. 2018, https://en.oxforddictionaries.com/definition/hack.

3. Mike Allen, "Sean Parker Unloads on Facebook: 'God Only Knows What It's Doing to Our Children's Brains'", *Axios*, 9 nov. 2017, www.axios.com/sean-parker-unloads-on-facebook-2508036343.html.

4. Edward L. Deci e Richard M. Ryan, "Self-Determination Theory: A Macrotheory of Human Motivation, Development, and Health", *Canadian Psychology/Psychologie Canadienne* 49, n. 3 (2008): 182-85, https://doi.org/10.1037/a0012801.

5. David Pierce, "Turn Off Your Push Notifications. All of Them", *Wired*, 23 jul. 2017, www.wired.com/story/turn-off-your-push-notifications/.

6. Gloria Mark, Daniela Gudith e Ulrich Klocke, "The Cost of Interrupted Work: More Speed and Stress", UC Donald Bren School of Information & Computer Sciences, acessado em 20 fev. 2018, www.ics.uci.edu/~gmark/chi08-mark.pdf.

7. C. Stothart, A. Mitchum e C. Yehnert, "The Attentional Cost of Receiving a Cell Phone Notification", *Journal of Experimental Psychology: Human Perception and Performance* 41, n. 4 (ago. 2015): 893-97, http://dx.doi.org/10.1037/xhp0000100.

8. Lori A. J. Scott-Sheldon et al., "Text Messaging-Based Interventions for Smoking Cessation: A Systematic Review and Meta-analysis", *JMIR mHealth and uHealth* 4, n. 2 (20 maio 2016): e49, https://doi.org/10.2196/mhealth.5436.

9. "Study Reveals Success of Text Messaging in Helping Smokers Quit: Text Messaging Interventions to Help Smokers Quit Should Be a Public Health Priority, Study Says", *ScienceDaily*, acessado em 27 nov. 2017, www.sciencedaily.com/releases/2016/05/160523141214.htm.

CAPÍTULO 14: DEFENDA-SE DO *HACKING* DAS INTERRUPÇÕES NO TRABALHO

1. Institute of Medicine, *Preventing Medication Errors*: *Consensus Study Report*, ed. Philip Aspden et al. (Washington, DC: National Academies Press, 2007), https://doi.org/10.17226/11623.

2. Maggie Fox e Lauren Dunn, "Could Medical Errors Be the No. 3 Cause of Death?", NBC News, 4 maio 2016, www.nbcnews.com/health/health-care/could-medical-errors-be-no-3-cause-death-america-n568031.

3. Victoria Colliver, "Prescription for Success: Don't Bother Nurses", *SFGate*, 28 out. 2009, www.sfgate.com/health/article/Prescription-for-success-Don-t-bother-nurses-3282968.php.

4. Debra Wood, "Decreasing Disruptions Reduces Medication Errors", RN.com, acessado em 8 dez. 2017, www.rn.com/Pages/ResourceDetails.aspx?id=3369.

5. Innovation Consultancy, "Sanctifying Medication Administration", KP MedRite, acessado em 10 out. 2018, https://xnet.kp.org/innovation-consultancy/kpmedrite.html.

6. Colliver, "Prescription for Success".

7. "Code of Federal Regulations: Part 121 Operating Requirements: Domestic, Flag, and Supplemental Operations", Federal Aviation Administration, acessado em 8 dez. 2017, http://rgl.faa.gov/Regulatory_and_Guidance_Library/rgFAR.nsf/0/7027DA4135C34E-2086257CBA004BF853?OpenDocument&Highlight=121.542.

8. Debra Wood, "Decreasing Disruptions Reduces Medication Errors", rn.com, 2009, https://www.rn.com/Pages/ResourceDetails.aspx?id=3369.

9. Nick Fountain e Stacy Vanek Smith, "Episode 704: Open Office", in *Planet Money*, 8 ago. 2018, www.npr.org/sections/money/2018/08/08/636668862/episode-704-open-office.

10. Yousef Alhorr et al., "Occupant Productivity and Office Indoor Environment Quality: A Review of the Literature", *Building and Environment* 105 (15 ago. 2016): 369–89, https://doi.org/10.1016/j.buildenv.2016.06.001.

11. Jeffrey Joseph, "Do Open/Collaborative Work Environments Increase, Decrease or Tend to Keep Employee Satisfaction Neutral?", Cornell University ILR School Digital Commons (primavera 2016), https://digitalcommons.ilr.cornell.edu/cgi/viewcontent.cgi?referer=https://www.google.ca/&httpsredir=1&article=1098&context=student.

CAPÍTULO 15: DEFENDA-SE DO *HACKING* DOS E-MAILS

1. Sara Radicati ed., *Email Statistics Report 2014–2018* (Palo Alto: Radicati Group, 2014), www.radicati.com/wp/wp-content/uploads/2014/01/Email-Statistics-Report-2014-2018-Executive-Summary.pdf.

2. Thomas Jackson, Ray Dawson e Darren Wilson, "Reducing the Effect of Email Interruptions on Employees", *International Journal of Information Management* 23, n. 1 (fev. 2003): 55–65, https://doi.org/10.1016/S02684012(02)00068-3.

3. Michael Mankins, "Why the French Email Law Won't Restore Work-Life Balance", *Harvard Business Review*, 6 jan. 2017, https://hbr.org/2017/01/why-the-french-email-law-wont-restore-work-life-balance.

4. Sam McLeod, "Skinner—Operant Conditioning", *Simply Psychology*, 21 jan. 2018, www.simplypsychology.org/operant-conditioning.html.

5. "Delay or Schedule Sending Email Messages", Microsoft Office Support, https://support.office.com/en-us/article/delay-or-schedule-sending-email-messages-026af69f-c287-490a-a72f-6c65793744ba.

6. https://mixmax.com/.

7. www.sanebox.com/.

8. Kostadin Kushlev e Elizabeth W. Dunn, "Checking Email Less Frequently Reduces Stress", *Computers in Human Behavior* 43 (1 fev. 2015): 220–28, https://doi.org/10.1016/j.chb.2014.11.005.

CAPÍTULO 16: DEFENDA-SE DO *HACKING* DOS GRUPOS DE MENSAGENS

1. Jason Fried, "Is Group Chat Making You Sweat?", *Signal v. Noise*, 7 mar. 2016, https://m.signalvnoise.com/is-group-chat-making-you-sweat.

2. Jason Fried, "Is Group Chat Making You Sweat", *Signal v. Noise*, 16 mar. 2016, https://m.signalvnoise.com/is-group-chat-making-you-sweat.

CAPÍTULO 17: DEFENDA-SE DO *HACKING* DAS REUNIÕES

1. *Without Pants: Wordpress.com and the Future of Work* (São Francisco: Jossey-Bass, 2013), 42.

2. Catherine D. Middlebrooks, Tyson Kerr e Alan D. Castel, "Selectively Distracted: Divided Attention and Memory for Important Information", *Psychological Science* 28, n. 8 (ago. 2017): 1103–15, https://doi.org/10.1177/0956797617702502; Larry Rosen e Alexandra Samuel, "Conquering Digital Distraction", *Harvard Business Review*, 1 jun. 2015, https://hbr.org/2015/06/conquering-digital-distraction.

CAPÍTULO 18: DEFENDA-SE DO *HACKING* DO SEU SMARTPHONE

1. "Principles of Drug Addiction Treatment: A Research-Based Guide (Third Edition)", National Institute on Drug Abuse, 17 jan. 2018, https://www.drugabuse.gov/publications/principles-drug-addiction-treatment-research-based-guide-third-edition.

2. Tony Stubblebine, "How to Configure Your Cell Phone for Productivity and Focus", *Better Humans*, 24 ago. 2017, https://betterhumans.coach.me/how-to-configure-your-cell-phone-for-productivity-and-focus-1e8bd8fc9e8d.

3. David Pierce, "Turn Off Your Push Notifications. All of Them", *Wired*, 23 jul. 2017, www.wired.com/story/turn-off-your-push-notifications/.

3. Adam Marchick em uma conversa com o autor, jan. 2016.

4. "How to Use Do Not Disturb While Driving", Apple Support, acessado em 5 dez. 2017, https://support.apple.com/en-us/HT208090.

CAPÍTULO 19: DEFENDA-SE DO *HACKING* DO SEU COMPUTADOR

1. Stephanie McMains e Sabine Kastner, "Interactions of Top-Down and Bottom-Up Mechanisms in Human Visual Cortex", *Journal*

of Neuroscience 31, n. 2 (12 jan. 2011): 587–97, https://doi.org/10.1523/JNEUROSCI.3766-10.2011.

2. Marketta Niemelä e Pertti Saariluoma, "Layout Attributes and Recall", *Behaviour & Information Technology* 22, n. 5 (1 set. 2003): 353–63, https://doi.org/10.1080/0144929031000156924.

3. Sophie Leroy, "Why Is It So Hard to Do My Work? The Challenge of Attention Residue When Switching Between Work Tasks", *Organizational Behavior and Human Decision Processes* 109, n. 2 (1 jul. 2009): 168–81, https://doi.org/10.1016/j.obhdp.2009.04.002.

CAPÍTULO 20: DEFENDA-SE DO *HACKING* DAS ABAS ABERTAS DO SEU NAVEGADOR DE INTERNET

1. https://getpocket.com/.

2. Claudia Wallis, "GenM: The Multitasking Generation", *Time*, 27 mar. 2006, http://content.time.com/time/magazine/article/0,9171,1174696,00.html.

3. B. Rapp e S. K. Hendel, "Principles of Cross-Modal Competition: Evidence from Deficits of Attention", *Psychonomic Bulletin & Review* 10, n. 1 (2003): 210–19.

4. May Wong, "Stanford Study Finds Walking Improves Creativity", *Stanford News*, 24 abr. 2014, https://news.stanford.edu/2014/04/24/walking-vs-sitting-042414/.

5. Katherine L. Milkman, Julia A. Minson e Kevin G. M. Volpp, "Holding the Hunger Games Hostage at the Gym: An Evaluation of Temptation Bundling", *Management Science* 60, n. 2 (fev. 2014): 283–99, https://doi.org/10.1287/mnsc.2013.1784.

6. Brett Tomlinson, "Behave!", *Princeton Alumni Weekly*, 26 out. 2016, https://paw.princeton.edu/article/behave-katherine-milkman-04-studies-why-we-do-what-we-do-and-how-change-it.

CAPÍTULO 21: DEFENDA-SE DO *HACKING* DOS *FEEDS* DE NOTÍCIAS

1. T. C. Sottek, "Kill the Facebook News Feed", The Verge, 23 maio 2014, www.theverge.com/2014/5/23/5744518/kill-the-facebook-news-feed.

2. Freia Lobo, "This Chrome Extension Makes Your Facebook Addiction Productive", Mashable, 10 jan. 2017, http://mashable.com/2017/01/10/todobook-chrome-extension/.

3. https://chrome.google.com/webstore/detail/newsfeed-burner/gdjcjcbjnaelafcijbnceapahcgkpjkl.

4. https://chrome.google.com/webstore/detail/open-multiple-websites/chebdlgebkhbmkeanhkgfojjaofeihgm.

5. Nir Eyal, Hooked: How to Build Habit-Forming Products (Nova York: Portfolio, 2014).

6. https://chrome.google.com/webstore/detail/df-tube-distraction-free/mjdepdfccjgcndkmemponafgioodelna?hl=en.

CAPÍTULO 22: O PODER DOS PRÉ-COMPROMISSOS

1. Lev Grossman, "Jonathan Franzen: Great American Novelist", *Time*, 12 ago. 2010, http://content.time.com/time/magazine/article/0,9171,2010185-1,00.html.

2. Iain Blair, "Tarantino Says Horror Movies Are Fun", *Reuters*, April 5, 2007, www.reuters.com/article/us-tarantino/tarantino-says-horror-movies-are-fun-idUSN2638212720070405.

3. *Harper's Bazaar UK*, "Booker Prize Nominated Jhumpa Lahiri on India, Being a Mother and Being Inspired by the Ocean", *Harper's Bazaar*, 4 out. 2013, www.harpersbazaar.com/uk/culture/staying-in/news/a20300/booker-prize-nominated-jhumpa-lahiri-on-india-being-a-mother-and-being-inspired-by-the-ocean.

4. Zeb Kurth-Nelson e A. David Redish, "Don't Let Me Do That!— Models of Precommitment", *Frontiers in Neuroscience* 6, n. 138 (2012), https://doi.org/10.3389/fnins.2012.00138.

5. Adolf Furtwängler, *Ulisses e as Sereias*, n.d., pintura baseada em um detalhe de uma pintura em cerâmica de ca. 480–470 a.c., altura 35,3 cm, British Museum, https://commons.wikimedia.org/wiki/File:Furtwaengler1924009.jpg.

6. Wikipedia, s.v. "Ulysses pact", acessado em 11 fev. 2017, https://en.wikipedia.org/w/index.php?title=Ulysses_pact&oldid=764886941.

CAPÍTULO 23: EVITE AS DISTRAÇÕES FAZENDO PACTOS DE ESFORÇO

1. www.amazon.com/Kitchen-Safe-Locking-Container-Height/dp/B00JGFQTD2.

2. https://selfcontrolapp.com/.

3. https://freedom.to/.

4. www.forestapp.cc/.

5. "IOS 12 introduces new features to reduce interruptions and manage Screen Time", Apple Newsroom, 4 jun. 2018, www.apple.com/newsroom/2018/06/ios-12-introduces-new-features-to-reduce-interruptions-and-manage-screen-time/.

CAPÍTULO 24: EVITE AS DISTRAÇÕES FAZENDO PACTOS DE PREÇO

1. Scott D. Halpern et al., "Randomized Trial of Four Financial-Incentive Programs for Smoking Cessation", *New England Journal of Medicine* 372, n. 22 (2015): 2108–17, https://doi.org/10.1056/NEJMoa1414293.

CAPÍTULO 25: EVITE AS DISTRAÇÕES FAZENDO PACTOS DE IDENTIDADE

1. Christopher J. Bryan et al., "Motivating Voter Turnout by Invoking the Self", *Proceedings of the National Academy of Sciences* 108, n. 31 (2011): 12653–56, http://dx.doi.org/10.1073/pnas.1103343108.

2. Adam Gorlick, "Stanford Researchers Find That a Simple Change in Phrasing Can Increase Voter Turnout", *Stanford News*, 19 jul. 2011, http://news.stanford.edu/news/2011/july/increasing-voter-turnout-071911.html.

3. Bryan et al., "Motivating Voter Turnout".

4. Vanessa M. Patrick e Henrik Hagtvedt, "'I Don't' Versus 'I Can't': When Empowered Refusal Motivates Goal-Directed Behavior", *Journal of Consumer Research* 39, n. 2 (2012): 371-81, https://doi.org/10.1086/663212.

5. Leah Fessler, "Psychologists Have Surprising Advice for People Who Feel Unmotivated", *Quartz at Work*, 22 ago. 2018, https://qz.com/work/1363911/two-psychologists-have-a-surprising-theory-on-how-to-get-motivated/.

6. "Targeting Hypocrisy Promotes Safer Sex", *Stanford SPARQ*, acessado em 28 set. 2018, https://sparq.stanford.edu/solutions/targeting-hypocrisy-promotes-safer-sex.

7. Lauren Eskreis-Winkler e Ayelet Fishbach, "Need Motivation at Work? Try Giving Advice", *MIT Sloan Management Review* (blog), 13 ago. 2018, https://sloanreview.mit.edu/article/need-motivation-at-work-try-giving-advice/.

8 Allen Ding Tian et al., "Enacting Rituals to Improve Self-Control", *Journal of Personality and Social Psychology* 114, n. 6 (2018): 851-76, https://doi.org/10.1037/pspa0000113.

9. Daryl J. Bem, "Self-Perception Theory", in *Advances in Experimental Social Psychology*, ed. Leonard Berkowitz, vol. 6 (Nova York: Academic Press, 1972).

10. *The Principles of Psychology*, vol. 2 (Nova York: Henry Holt and Company, 1918) 370.

CAPÍTULO 26: A DISTRAÇÃO É UM SINAL DE DISFUNÇÃO

1. Stephen Stansfeld e Bridget Candy, "Psychosocial Work Environment and Mental Health—a Meta-analytic Review", *Scandinavian Journal of Work, Environment & Health* 32, n. 6 (2006): 443–62.
2. Stephen Stansfeld em uma entrevista por telefone com o autor, 13 fev. 2018.
3. "Depression in The Workplace", *Mental Health America*, 1 nov. 2013, www.mentalhealthamerica.net/conditions/depression-workplace.
4. Leslie A. Perlow, *Sleeping with Your Smartphone: How to Break the 24/7 Habit and Change the Way You Work* (Boston: Harvard Business Review Press, 2012).
5. Perlow, *Sleeping with Your Smartphone*, colchetes no original.

CAPÍTULO 27: AS MELHORES CULTURAS DE TRABALHO COMBATEM A DISTRAÇÃO

1. Leslie A. Perlow, *Sleeping with Your Smartphone: How to Break the 24/7 Habit and Change the Way You Work* (Boston: Harvard Business Review Press, 2012).
2. Julia Rozovsky, "The Five Keys to a Successful Google Team", *Re:Work* (blog), 17 nov. 2015, https://rework.withgoogle.com/blog/five-keys-to-a-successful-google-team/.
3. Amy Edmondson, "Building a Psychologically Safe Workplace", palestra do TEDx em TEDxHGSE, 4 maio 2014, www.youtube.com/watch?time_continue=231&v=LhoLuui9gX8.
4. Edmondson, "Building a Psychologically Safe Workplace".

CAPÍTULO 28: O LOCAL DE TRABALHO INDISTRAÍVEL

1. Slack Team, "With 10+ Million Daily Active Users, Slack Is Where More Work Happens Every Day, All over the World", Slack (blog), acessado em 22 mar. 2019, https://slackhq.com/slack-has-10-million-daily-active-users.

2. Jeff Bercovici, "Slack Is Our Company of the Year. Here's Why Everybody's Talking About It", *Inc.*, 23 nov. 2015, www.inc.com/magazine/201512/jeff-bercovici/slack-company-of-the-year-2015.html.

3. Casey Renner, "Former Slack CMO, Bill Macaitis, on How Slack Uses Slack", *OpenView Labs*, 19 maio 2017, https://labs.openviewpartners.com/how-slack-uses-slack/.

4. Graeme Codrington, "Good to Great... to Gone!", *Tomorrow Today*, 9 dez. 2011, www.tomorrowtodayglobal.com/2011/12/09/good-to-great-to-gone-2/.

5. "Boston Consulting Group Overview on Glassdoor", acessado em 12 fev. 2018, www.glassdoor.com/Overview/Working-at-Boston-Consulting-Group-EI_IE3879.11,34.htm.

6. "Slack Reviews on Glassdoor", acessado em 12 fev. 2018, www.glassdoor.com/Reviews/slack-reviews-SRCH_KE0,5.htm.

CAPÍTULO 29: EVITE DAR DESCULPAS

1. Jean M. Twenge, "Have Smartphones Destroyed a Generation?", *Atlantic*, set. 2017, www.theatlantic.com/magazine/archive/2017/09/has-the-smartphone-destroyed-a-generation/534198/.

2. Lulu Garcia-Navarro, "The Risk of Teen Depression and Suicide Is Linked to Smartphone Use, Study Says", NPR Mental Health, 17 dez. 2017, www.npr.org/2017/12/17/571443683/the-call-in-teens-and-depression.

3. Twenge, "Have Smartphones Destroyed a Generation?"

4. YouTube search, "dad destroys kids phone", acessado em 23 jul. 2018, www.youtube.com/results?search_query=dad+destroys+kids+phone.

5. Mark L. Wolraich, David B. Wilson e J. Wade White, "The Effect of Sugar on Behavior or Cognition in Children: A Meta-analysis", *JAMA* 274, n. 20 (22 nov. 1995): 1617–21, https://doi.org/10.1001/jama.1995.03530200053037.

6. Alice Schlegel e Herbert Barry III, *Adolescence: An Anthropological Inquiry* (Nova York: Free Press, 1991).
7. Robert Epstein, "The Myth of the Teen Brain", *Scientific American*, 1 jun. 2007, www.scientificamerican.com/article/the-myth-of-the-teen-brain-2007-06/.
8. Richard McSherry, "Suicide and Homicide Under Insidious Forms", *Sanitarian*, 26 abr. 1883.
9. W. W. J., revisão de *Children and Radio Programs: A Study of More than Three Thousand Children in the New York Metropolitan Area*, por Azriel L. Eisenberg, *Gramophone*, set. 1936, https://reader.exacteditions.com/issues/32669/page/31?term=crime.
10. Abigail Wills, "Youth Culture and Crime: What Can We Learn from History?", History Extra, 12 ago. 2009, www.historyextra.com/period/20th-century/youth-culture-and-crime-what-can-we-learn-from-history/.
11. "No, Smartphones Are Not Destroying a Generation", *Psychology Today*, 6 ago. 2017, www.psychologytoday.com/blog/once-more-feeling/201708/no-smartphones-are-not-destroying-generation.
12. "More Screen Time for Kids Isn't All That Bad: Researcher Says Children Should Be Allowed to Delve into Screen Technology, as It Is Becoming an Essential Part of Modern Life", *ScienceDaily*, 7 fev. 2017, www.sciencedaily.com/releases/2017/02/170207105326.htm.
13. Andrew K. Przybylski e Netta Weinstein, "A Large-Scale Test of the Goldilocks Hypothesis: Quantifying the Relations Between Digital-Screen Use and the Mental Well-Being of Adolescents", *Psychological Science* 28, n. 2 (13 jan. 2017): 204–15, https://journals.sagepub.com/doi/10.1177/0956797616678438.
14. Tom Chivers, "It Turns Out Staring at Screens Isn't Bad for Teens' Mental Wellbeing", Buzzfeed, 14 jan. 2017, www.buzzfeed.com/tomchivers/mario-kart-should-be-available-on-the-nhs.

CAPÍTULO 30: CONHEÇA OS GATILHOS INTERN. DOS SEUS FILHOS

1. Richard M. Ryan e Edward L. Deci, "Self-Determination Theory and the Facilitation of Intrinsic Motivation, Social Development, and Well-Being", *American Psychologist* 55, n. 1 (jan. 2000): 68–78, https://dx.doi.org/10.1037/0003-066X.55.1.68.

2. Maricela Correa-Chávez e Barbara Rogoff, "Children's Attention to Interactions Directed to Others: Guatemalan Mayan and European American Patterns", *Developmental Psychology* 45, n. 3 (maio 2009): 630–41, https://doi.org/10.1037/a0014144.

3. Michaeleen Doucleff, "A Lost Secret: How to Get Kids to Pay Attention", NPR, 21 jun. 2018, www.npr.org/sections/goatsandsoda/2018/06/21/621752789/a-lost-secret-how-to-get-kids-to-pay-attention.

4. Doucleff, "Lost Secret".

5. Entrevista do assistente de pesquisa com Richard Ryan, maio 2017.

6. Robert Epstein, "The Myth of the Teen Brain", *Scientific American*, 1 jun. 2007, www.scientificamerican.com/article/the-myth-of-the-teen-brain-2007-06/.

7. Entrevista com Ryan, maio 2017.

8. Peter Gray, "The Decline of Play and the Rise of Psychopathy in Children and Adolescents", *American Journal of Play* 3, n. 4 (primavera 2011): 443–63.

9. Esther Entin, "All Work and No Play: Why Your Kids Are More Anxious, Depressed", *Atlantic,* 12 out. 2011, www.theatlantic.com/health/archive/2011/10/all-work-and-no-play-why-your-kids-are-more-anxious-depressed/246422/.

10. Christopher Ingraham, "There's Never Been a Safer Time to Be a Kid in America", *Washington Post*, 14 abr. 2015,

www.washingtonpost.com/news/wonk/wp/2015/04/14/theres-never-been-a-safer-time-to-be-a-kid-in-america/.

11. Entrevista com Richard M. Ryan, maio 2017.

12. Gray, "Decline of Play".

13. Entrevista com Ryan, maio 2017.

14. Richard M. Ryan e Edward L. Deci, *Self-Determination Theory: Basic Psychological Needs in Motivation, Development, and Wellness* (Nova York: Guilford Publications, 2017), 524.

CAPÍTULO 31: ARRANJE COM OS SEUS FILHOS UM TEMPO PARA A TRAÇÃO

1. Entrevista do assistente de pesquisa com Lori Getz e família, maio 2017.

2. Alison Gopnik, "Playing Is More Than Fun—It's Smart", *Atlantic*, 12 ago. 2016, www.theatlantic.com/education/archive/2016/08/in-defense-of-play/495545/.

3. Anne Fishel, "The Most Important Thing You Can Do with Your Kids? Eat Dinner with Them", *Washington Post*, 12 jan. 2015, www.washingtonpost.com/posteverything/wp/2015/01/12/the-most-important-thing-you-can-do-with-your-kids-eat-dinner-with-them/.

CAPÍTULO 32: AJUDE OS SEUS FILHOS A LIDAR COM OS GATILHOS EXTERNOS

1. Monica Anderson e Jingjing Jiang, "Teens, Social Media & Technology 2018", Pew Research Center, 31 maio 2018, www.pewinternet.org/2018/05/31/teens-social-media-technology-2018/.

2. "Mobile Kids: The Parent, the Child and the Smartphone", Nielsen Newswire, 28 fev. 2017, www.nielsen.com/us/en/insights/news/2017/mobile-kids-the-parent-the-child-and-the-smartphone.html.

3. AIEK/AEKU X8 Ultra Thin Card Mobile Phone Mini Pocket Students Phone, Aliexpress, acessado em 12 jan. 2019, www.aliexpress.com/item/New-AIEK-AEKU-X8-Ultra-Thin-Card-Mobile-Phone-Mini-Pocket-Students-Phone-Low-Radiation-Support/32799743043.html.

4. Joshua Goldman, "Verizon's $180 GizmoWatch Lets Parents Track Kids' Location and Activity", CNET, 20 set. 2018, www.cnet.com/news/verizons-180-gizmowatch-lets-parents-track-kids-location-activity/.

5. Anya Kamenetz, *The Art of Screen Time: How Your Family Can Balance Digital Media and Real Life* (Nova York: PublicAffairs, 2018).

CAPÍTULO 34: ESPALHE ANTICORPOS SOCIAIS ENTRE OS SEUS AMIGOS

1. Nicholas A. Christakis e James H. Fowler, "Social Contagion Theory: Examining Dynamic Social Networks and Human Behavior", *Statistics in Medicine* 32, n. 4 (20 fev. 2013): 556–77, https://doi.org/10.1002/sim.5408.

2. Kelly Servick, "Should We Treat Obesity like a Contagious Disease?", *Science*, 19 fev. 2017, www.sciencemag.org/news/2017/02/should-we-treat-obesity-contagious-disease.

3. Paul Graham, "The Acceleration of Addictiveness", jul. 2010, www.paulgraham.com/addiction.html.

4. "Trends in Current Cigarette Smoking Among High School Students and Adults, United States, 1965–2014", Centers for Disease Control and Prevention, acessado em 6 dez. 2017, www.cdc.gov/tobacco/data_statistics/tables/trends/cig_smoking/.

5. McCann Paris, "Macquarie 'Phubbing: A Word Is Born' // McCann Melbourne", 26 jun. 2014, vídeo, 2:27, www.youtube.com/watch?v=hLNhKUniaEw.

CAPÍTULO 35: SEJA UM AMANTE INDISTRAÍVEL

1. Rich Miller, "Give Up Sex or Your Mobile Phone? Third of Americans Forgo Sex", Bloomberg, 15 jan. 2015, www.bloomberg.com/news/articles/2015-01-15/give-up-sex-or-your-mobile-phone-third-of-americans-forgo-sex.

2. Russell Heimlich, "Do You Sleep with Your Cell Phone?", Pew Research Center (blog), acessado em 15 jan. 2019, www.pewresearch.org/fact-tank/2010/09/13/do-you-sleep-with-your-cell-phone/.

3. https://eero.com.

4. *New Oxford American Dictionary*, 2. ed., s.v. "strive".

Guia de Discussão para seu Clube do Livro (In)distraível

Agora você pode estreitar seus vínculos com os amigos conversando sobre o que aprendeu no livro (In)distraível. As perguntas abaixo foram pensadas para instigar um diálogo profundo e interessante sobre os temas do livro. Convide alguns amigos para uma conversa informal sobre produtividade, hábitos, valores, tecnologia e gatilhos e simplesmente deixe a conversa fluir.

1. No livro, Nir fala da importância das três áreas da vida: você, seus relacionamentos e seu trabalho. Acontece muito de, sem querer, passarmos tempo demais em uma área da vida à custa das outras. Qual área da sua vida você gostaria de melhorar e por quê?

2. (In)distraível está repleto de informações e dicas inusitadas. Você mudou de ideia sobre alguma coisa depois de ler o livro? O que você achou mais surpreendente?

3. Pense nas distrações mais frequentes que o impedem de atingir a tração. Quais são os seus três gatilhos internos mais comuns? E quais são os seus três gatilhos externos mais comuns? Lembre que os gatilhos internos acionam nosso comportamento de dentro para fora, enquanto os gatilhos externos são "deixas" ao nosso redor que nos incitam a alguma ação.

4. Uma abordagem lúdica, em busca de elementos divertidos, pode aliviar nosso desconforto ajudando-nos a reinventar uma tarefa aparentemente monótona ou repetitiva. Pense em algo que você faz no seu dia a dia em casa ou no trabalho que você não considera especialmente interessante. Como você pode reimaginar a tarefa (ou incluir alguma restrição) para torná-la mais interessante?

5. Nir diz que as listas de afazeres são "extremamente problemáticas". Você concorda ou discorda dessa afirmação? Por quê?

6. O "pote da diversão" ajudou Nir a atingir seu objetivo de ser um pai mais presente na vida de sua filha. Quais são cinco a dez atividades que não poderiam faltar no seu "pote da diversão"?

7. É fundamental alinhar a sua agenda com os seus valores para atingir a tração. Imagine como seria a programação de um dia ideal na sua vida. Como você passaria seu tempo? Como você "traduziria seus valores em tempo" para si mesmo, para seus relacionamentos e para seu trabalho?

8. Os valores não devem ser vistos como o destino, mas são placas de sinalização para indicar o caminho e orientar nossas ações. Quais são os três a cinco valores mais importantes para você?

9. Estudos demonstraram que o ambiente de trabalho, em especial os escritórios de layout aberto, são uma fonte constante de distrações. Você concorda ou discorda?

10. As distrações são inevitáveis no trabalho, mesmo se você trabalhar em casa. Todo tipo de interrupção, como grupos de mensagens, e-mails e até nosso celular, pode acabar com a nossa concentração. Como você planeja priorizar o trabalho ininterrupto na sua rotina diária?

11. Aprendemos no livro que nossa identidade não é fixa. Da mesma forma como temos o poder de mudar nossos hábitos, podemos optar por mudar nossa identidade e nos comprometer com uma autoimagem mais positiva. Quais são alguns hábitos que você sempre quis mudar e como você pode criar uma nova identidade para facilitar a mudança?

12. De acordo com Nir, "As limitações nos dão estrutura, ao passo que o vácuo nos atormenta com a tirania das infinitas opções". Descreva um exemplo no qual as restrições podem dar uma estrutura para nos ajudar a viver de acordo com os nossos valores.

13. Não é fácil mudar o comportamento, e as pessoas nem sempre conseguem de primeira. É imprescindível saber como se recuperar dos fracassos. Como você se recuperou de um fracasso no passado?

14. A internet (incluindo as mídias sociais) pode nos sugar em um buraco negro de desperdício de tempo. Quais hábitos você gostaria de cultivar para melhorar seu consumo de conteúdo on-line?

15. Nir apresentou uma longa lista de dicas para combater as distrações on-line (como eliminar o *feed* de notícias do Facebook ou usar aplicativos de produtividade como o Forest). Qual foi uma técnica ou ferramenta que você usou para ajudá-lo a ser mais eficiente e focado?

16. Segundo os pesquisadores, precisamos de três nutrientes psicológicos para ter sucesso: autonomia, competência e conexão. Qual desses nutrientes é mais importante para você e por quê? Qual nutriente você acha que está faltando na sua vida?

17. Os avanços tecnológicos tendem a causar medo e pânico (pense em veículos autônomos, inteligência artificial, realidade virtual e até nas mídias sociais). Por que você acha que isso acontece?

18. Compartilhe com o grupo algum compromisso que você aparentemente não consegue manter (como ir à academia ou algum outro plano). O que você pode mudar para fazer o que se propõe a fazer seguindo as quatro etapas do Modelo Indistraível?

19. De acordo com um levantamento, um terço dos americanos preferiria abrir mão do sexo por um ano a abrir mão de celular pelo mesmo período. Qual dessas duas opções você escolheria e por quê?

20. Descreva como será a sua vida quando você se tornar uma pessoa indistraível.

Sobre os Autores

Nir Eyal lecionou design comportamental na Faculdade de Pós-Graduação em Administração da Stanford no Instituto de Design Hasso Plattner da Stanford. Ele é um escritor, consultor e palestrante sobre a interseção entre a psicologia, a tecnologia e os negócios. Seus artigos foram publicados na *Harvard Business Review, Atlantic, Time, Week, Inc.* e *Psychology Today*.

Seu livro de 2014, *Hooked: How to Build Habit-Forming Products*, é um best-seller do *Wall Street Journal*, foi traduzido para mais de dezoito idiomas e ganhou o prêmio "Livro de Marketing do Ano" da 800 CEO Read. Saiba mais em NirAndFar.com.

Julie Li é cofundadora da NirAndFar.com, onde ela trabalha para levar as mais recentes descobertas sobre administração do tempo, design comportamental e psicologia do consumidor ao público global. Julie cofundou duas outras startups, que ela ajudou a liderar até elas serem adquiridas.